TRAITS ET PORTRAITS

DU MÊME AUTEUR

QUELQUES PORTRAITS-SONNETS DE FEMMES. Ollendorf, 1900.

CINQ PETITS DIALOGUES GRECS. La Plume, 1902.

THE WOMAN WHO LIVES WITH ME, roman abrégé, hors commerce.

THE CITY OF THE FLOWER, poème avec enluminures, à un seul exemplaire.

ACTES ET ENTR'ACTES, vers. Sansot, 1910.

ÉPARPILLEMENTS, petit livre de pensées. Sansot, 1910.

JE ME SOUVIENS. — A RENÉE VIVIEN. Sansot, 1910.

PENSÉES D'UNE AMAZONE. Émile-Paul, 1918, nouvelle édition 1920-1921.

POEMS-POÈMES. — AUTRES ALLIANCES. Émile-Paul, 1920.

AVENTURES DE L'ESPRIT. Émile-Paul, 1929.

NOUVELLES PENSÉES DE L'AMAZONE. Mercure de France, 1939.

THE ONE WHO IS LEGION, roman anglais. Scolastic-Press, Londres.

SOUVENIRS INDISCRETS. Flammarion, 1960.

NATALIE BARNEY

Traits et portraits

suivi de
L'amour défendu

MERCVRE DE FRANCE
MCMLXIII

IL A ÉTÉ TIRÉ DE CET OUVRAGE,
SUR VÉLIN PUR FIL LAFUMA,
VINGT EXEMPLAIRES NUMÉROTÉS
DE 1 A 20
ET VINGT-SIX EXEMPLAIRES HORS
COMMERCE MARQUÉS DE A A Z

PORTRAIT
DE
NATALIE BARNEY

Je connais Natalie Barney depuis longtemps.

C'était pendant le dur hiver de 1916. On mourait beaucoup. Les cœurs étaient lourds, la vie triste. On se réunissait ici et là de façon un peu furtive. L'habitude du malheur n'était pas encore entrée dans les cœurs.

Chez une amie, je rencontrai une femme très blonde, d'un blond lunaire, pas très grande, dont les yeux étaient d'un bleu froid de glacier. Tout en elle semblait impérieux, volontaire. Elle pouvait plaire ou déplaire, mais sa personnalité s'imposait. On me dit qu'elle était la fameuse, la dangereuse Miss Clifford-Barney. Fameuse? Dangereuse? J'en ignorais tout.

J'en ignorais tout, mais mon ignorance ne dura pas longtemps. Je sus vite que c'était elle, l'héroïne qu'une jeune poétesse avait longuement et ardemment chantée. De cette poétesse je ne connaissais que le nom charmant de Renée Vivien. Je n'avais rien lu d'elle.

Elle mourut, je crois, en 1909. Malgré les ombres et le silence qui l'entouraient, son nom était venu jusqu'à moi. Il appartenait à ceux des Poètes Maudits dont on ne parlait pas dans les salons. La censure familiale ou conjugale n'en aurait pas autorisé la lecture aux jeunes femmes de goût littéraire, à cette époque du siècle.

On ne trouvait pas ses livres dans les rayons des librairies.

J'aurais longtemps tout ignoré de ma contemporaine et des quinze volumes publiés par Lemerre, si Robert Siegfried, mort trop jeune, ne laissant qu'un introuvable, précieux et douloureux petit livre, ne me l'avait un jour nommée. Il m'apprenait sa mort. Je ne sus de qui il me parlait, et le lui dis.

— Comment pouvez-vous ne pas connaître Renée Vivien? Elle est faite pour vous plaire; si vous écriviez des vers, ils seraient pareils aux siens.

Toute poésie m'a toujours été chère. Je ne demandais qu'à m'instruire. Mais il était vain de chercher un volume de cette inconnue dans les librairies de Stamboul où je me trouvais alors, ni à Vienne quelques mois plus tard, et mon retour à Paris, en 1915, se mêlait à certains événements qui me donnèrent d'autres soucis que celui de rechercher ses œuvres.

PORTRAIT DE NATALIE BARNEY

Quand on me dit que la blonde Américaine était celle que Renée Vivien chantait sous le nom de Loreley, ma curiosité s'éveilla. J'étais déjà presque « au courant ». Il ne me restait qu'à me procurer les volumes désirés. Ce fut vite fait. Je les lus aussitôt, les bons et les moins bons, qu'avait laissés, témoins de son court et douloureux passage dans la vie, la jeune morte, la jeune fille aux violettes, la triste Bilitis contemporaine, la Scandaleuse, la Réprouvée.

J'avais encore mille illusions, sur les hommes et sur les femmes. J'étais de la plus déconcertante naïveté, mais j'étais sans préjugé. Je n'avais guère rencontré jusqu'à ce jour d'héroïnes de roman, de célébrités amoureuses. La vie ne m'avait encore mise en contact qu'avec des êtres de qualité assez banale.

Natalie, elle, portait sa réputation sans hypocrisie. Je l'avais ignorée. Baignée de vertu dans ma jeunesse, de convenance mondaine et bourgeoise dans le milieu conjugal de mes débuts dans la vie, dont je sortais à grand-peine et non sans y laisser un plumage déchiré, les mauvaises réputations m'attiraient en raison inverse des fameuses « bonnes » réputations de personnes à la vertu intangible, de ces monstres sans péché, sans faiblesse, sans accroc dans l'ordre charnel, mais secrétant toutes les méchancetés dans l'ordre de la médisance et de la calomnie. Miss Barney était un monstre d'un genre nouveau, qui m'attirait davantage.

Elle m'effrayait aussi. Quel bond dans l'inconnu

que l'ébauche d'une amitié avec cette personne déconcertante, séduisante, si assurée dans la vie, d'une conversation brillante et elliptique, qui me paraissait à la fois secrète et hardie. Je n'osais y penser. Elle m'intimidait. J'en étais éblouie autant qu'épouvantée. Elle était la première femme d'une intelligence supérieure que je rencontrais. Dès ce moment, son être complexe éveilla en moi une curiosité, autant qu'un attrait, qui dure encore après tant d'années.

Dès nos premières rencontres elle m'apparut nimbée de cet amour que lui avait porté Renée Vivien. J'ignorais l'histoire réelle des deux amies, et qu'aucune n'avait été fidèle à l'autre.

Quelle surprise le jour qu'elle vint, sans s'annoncer, me voir. Elle était vêtue, telle une Montpensier, en amazone du XVIIᵉ siècle, tout en basques, en parements noirs et sur ses cheveux si blonds, le feutre empanaché de plumes d'autruche des belles Frondeuses, ennemies de l'ordre et de Mazarin. Je me sentais une bien petite chose, vite effarouchée, devant cette prestigieuse personne qui affirmait le droit à toutes les libertés, et dont l'humour et la concision de paroles me plaisaient tant.

Elle me pria de venir la voir un vendredi, rue Jacob. J'eus d'abord quelques scrupules. Je ne résistai pas longtemps et le premier vendredi fut suivi de beaucoup d'autres vendredis.

Allais-je me faire des amis dans ce milieu qui

m'était si neuf? C'était une aventure, et même une aventure un peu dangereuse, assez incertaine. Un nouvel horizon humain s'étendait au-delà des conventions mondaines et bourgeoises. Je pensais ne rencontrer qu'amour des lettres et poésie, les réalités m'échappaient.

Comme la vie paraît mystérieuse et belle quand elle quitte l'ornière, quand elle vagabonde hors du quotidien, dénoue les nœuds, se confie aux ondes secrètes...

La capacité de création et le sens de l'art, l'amour de la beauté, sont des dons trop peu généreusement départis aux hommes et aux femmes que nous sommes, pour qu'un tel privilège n'excite pas l'envie des autres, des médiocres, satisfaits de leur médiocrité. Qu'apportent-ils au monde, ceux-là? Quel ferment, quel levain de l'esprit? Quelle nourriture du cœur et de l'imagination?

Tous ceux, toutes celles qui ont connu les vendredis de la rue Jacob pendant les années 16, 17, 18, à Paris, comprendront les souvenirs que j'évoque ici, se souviendront de la détente dans un climat apaisé où s'estompait l'inquiétude des jours, où l'atmosphère intellectuelle dominait les soucis matériels, où l'intelligence se recomposait en calme et en beauté. On s'en voulait d'oublier les malheurs du temps, mais on les oubliait quand même, et l'on reprenait le contact quotidien avec la vie sans joie de cette époque, comme sortant d'un songe bénéfique. La liberté de pensée, d'opinion, d'expression, régnait dans ce groupe, et cela aussi lui donnait une inappréciable valeur.

Les villes connaissaient le début de l'ère policière qui se poursuit aujourd'hui, et toute vérité n'était pas bonne à dire. Autour du fronton directoire du petit temple de l'Amitié, caché dans le jardin, il était permis de trouver que la guerre était chose cruelle, affreuse, et que les erreurs politiques qui la prolongeaient étaient des erreurs impardonnables. Cela ne servait à rien, mais cela soulageait.

J'y rencontrai Séverine, Barbusse aussi, dont le Feu révélait, dans un langage qui m'était bien nouveau, les horreurs sanglantes d'une guerre interminable, Barbusse, tout jeune encore, sincère et humain, courageux, car il a toujours été courageux de dire la vérité, alors comme aujourd'hui. Je le revis plus tard au Trayas, où l'énorme succès de son livre lui permettait de soigner ses bronches et de construire une villa. Toujours aussi humain, un peu moins simple, et penchant déjà vers les idéologies qui le menèrent mourir à Moscou.

Les semaines, les mois, les années passaient, mornes, tristes. Mais les vendredis qui me ramenaient là, étaient pour moi des jours fastes. J'y trouvais courage à vivre et cette nourriture de l'esprit dont je ne puis me passer. Mes années antérieures m'en avaient peu donné; j'étais une affamée.

Et je n'étais pas seule à y trouver de la force et le baume nécessaire de certains oublis, les habitués en étaient fidèles, je n'en citerai que peu de noms. Natalie les a inscrits dans le plan même de son salon, au début des Aventures de l'Esprit. On y trouve ce que la France, l'Angleterre, l'Amérique avaient, en ces années-là, de plus grand et de meilleur... Comme il y manque, le nom de ceux qui mouraient dans les batailles, Seager, Brookes, Péguy, Psichari, Rivière, Paul Drouot, Alain Fournier, dont les Lettres portent encore le deuil, et tant d'autres. Leur absence a aidé à la détérioration des âmes et des cœurs qui suivirent la paix illusoire. Nous sommes pour toujours appauvris d'eux.

Natalie a été aimée par un Prince de l'esprit.

Il me semble, car je viens de relire ses lettres, qu'elle lui ait apporté bonheur et douleur. Les deux volumes, les Lettres à l'Amazone et les Lettres intimes à l'Amazone, sont le don royal que cet homme d'exception a fait à cette femme d'exception.

Ce martyr d'un corps malade et d'une face ravagée a aimé, a trouvé un bonheur, s'est attaché, et a su s'attacher cette femme instable, variable, fuyante, insaisissable. Dans cette Amazone, et de l'espèce la plus pure et la plus fière, il a trouvé une fidélité d'amitié, une constance de cœur et d'esprit qui fait de cette union platonique un miracle d'amour de sa part à lui, un miracle d'amitié de sa part à elle.

Puis il mourut. Et il fut bon qu'il mourût. Les dernières pages des Lettres Intimes sont poignantes, son amie n'était plus là, elle s'absentait, elle voyageait. Il en souffrait. Il mourut sans la revoir. Pour elle, il n'était pas mort, il demeurait absent...

Elle lui était attachée profondément, mais lui, il l'aimait. La finesse extrême de son esprit, son amour des lettres, son sens du grand et du beau, le goût naturel en toutes femmes d'être admirées, comprises, de se connaître indispensables et uniques aux yeux d'un homme de cette qualité, cela était autant de liens qui la nouaient à lui... Mais Natalie sait défaire tous les nœuds.

Avec le temps, que seraient devenus de tels liens, si purement cérébraux? Il aurait souffert davantage; il souffrait déjà des oublis, des longs voyages, des distractions, des rendez-vous manqués, des adresses vainement réclamées, des divertissements de son amie, de tout ce qui séparait cette jeune vivante de la sombre vie que vivait ce moine des Lettres, vêtu de bure, ce prisonnier volontaire du 5ᵉ étage de la rue des Saints-Pères.

Elle avait trente ans. Les hommages l'entouraient, elle donnait, recevait des soins d'amour, le cœur, le corps heureux, l'esprit occupé, menant la vie compli-

*quée par les plaisirs, les hasards, les caprices et les
fantaisies d'une jeune femme, libre et riche, à Paris.*

Elle avait tout. Il n'avait qu'elle.

*Durant des années, cette Américaine parisianisée,
comblée par la vie, sut s'obliger, et s'obliger avec joie,
car la contrainte n'est pas son fait, à consacrer ses
après-midis du dimanche à ce reclus, qui lui était cher,
à qui elle était bien plus chère encore.*

*A l'âge qu'elle avait alors, entourée, courtisée, occu-
pée, cette fidélité dans une habitude, cela représente
une constance, une charité d'amitié, une grande et belle
chose parmi les rapports humains.*

*Les imagine-t-on, ces tête-à-tête, dans la demi-
obscurité d'un appartement sombre — que je devine
poussiéreux, où les murs sont recouverts de verdures
et les fenêtres de vitraux pour en tamiser le jour,
entre cet homme vieilli par la maladie, par l'espèce
d'horreur qu'il avait de lui-même et de sa face détruite,
de son corps épaissi — et cette jeune femme blonde
aux yeux immenses de nymphe des eaux; cette jeune
femme aux mille fantaisies, fluide comme le mercure
dans la paume de la main, cette enfant gâtée d'Amérique, qui veut goûter à toutes les délices, pour qui
la volupté, comme l'art, comme la beauté, est un
besoin de joie, et qui donne un jour de sa semaine,
abandonne ses plaisirs et ses amours, pour un plaisir
plus haut et plus pur, pour un amour désincarné,
un échange de richesses mutuelles du cœur et de*

l'esprit, pour une nourriture d'intelligence dont les deux volumes des Lettres *nous apportent l'écho, mais non la vivante et substantielle réalité.*

Ce qui est dit, exprimé, enrichi par le ton de la voix, l'expression du visage, la vivacité de la parole, ce qui rend tout précieux et vivant, se transpose en phrases composées, relues, rectifiées, en alinéas mesurés, en métier d'écrivain, en littérature.

Nous ne pouvons deviner ce que furent ces tête-à-tête dont l'attrait était si grand qu'il fixait, ne fût-ce qu'un après-midi par semaine, cette créature ailée, glissante et instable comme l'eau et comme l'air, qu'était alors Natalie.

Les réunions hebdomadaires de deux esprits aussi fermes, de deux intelligences aussi complètes où la sensibilité à vif du pauvre grand homme blessé et souffrant, et l'éclat de diamant, la repartie nette et l'observation aiguë de la jeune femme, devaient composer un admirable et pathétique duo. On y devine l'ombre et la lumière, la profondeur et la légèreté des chefs-d'œuvre.

Nous ne savons pas. Nous ne pouvons qu'imaginer. Ses arrivées, ses départs, elles les décrit ainsi :

A l'intérieur de sa porte d'entrée était clouée une tapisserie représentant une tête vociférante et vipérine qui, sans doute, lui symbolisait tout ce qui nous vient du dehors. Dès qu'il reconnaissait mon coup de sonnette, il m'arrachait du seuil, comme s'il m'eût sauvée d'un péril. Et lorsqu'il avait à me reconduire, il restait suspendu à ma descente. Sur la rampe, en raccourci et polie par l'usure, il ne percevait plus que ma main, ou mon sourire remontant jusqu'à lui, entre les papillons de gaz de l'escalier, en spirale, interminable comme celui d'une tour. Les murs glissaient, lisses, entre les étages, sans autres aspérités que celles des coffrets de la Compagnie du gaz. Arrivée au niveau de la cour — où broutait autour d'un seul arbre, un paisible lapin — je jetais un dernier coup d'œil vers la hauteur. Il était là.

Je n'ai jamais vu la porte se refermer.

Quand je passe rue des Saints-Pères, je lève le regard, j'évoque cette arrivée, ce départ, et les yeux de l'homme qui plonge dans le puits sombre des cinq étages, qui suit, plus loin que le regard, l'être cher qui est la vie de sa vie, qui part, et le rend à son ombre et sa solitude pour huit jours glacés. Ce regard atteint mon cœur, j'en sens le poids et la tristesse. Et je sais que ce regard survit, malgré qu'il soit mort.

Car l'amour est une force invisible qui ne meurt pas parce que celui ou celle qui le portait en lui est mort. Sa force demeure, et charge d'autres êtres, réceptifs à sa force. Rien ne meurt des mouvements de notre conscience ou de notre inconscience, tout devient force nouvelle et nouvelle énergie, et la matière elle-même ne se transforme, ne se désagrège, que pour revivre.

La forme s'efface, l'énergie vitale demeure, puisque rien ne se perd dans l'univers. L'amour est la plus mystérieuse des énergies auxquelles réagissent les humains. Comment l'amour peut-il se perdre? Il se transpose, il ne s'égare pas.

L'étroite, la bruyante rue des Saints-Pères, si vivante, si gaie, conserve parmi les ondes innombrables de l'atmosphère qui est proprement son atmosphère — et chaque rue de Paris a la sienne — un peu de ce regard d'un homme démuni de tout, hors les trésors de l'intelligence et du cœur, regardant disparaître une jeune Américaine à la chevelure lumineuse au fond du sombre puits de son étroit escalier.

Après la mort de son ami, elle répondit ainsi à ceux qui lui demandaient, indiscrètement, des souvenirs :

Je n'ai pas de souvenirs.

Le temps des reliques, le temps d'absence, de pénurie de l'amour ne m'est pas encore apparu. Vous l'avouerai-je encore : je n'éprouve pas la mort. Elle ne me fait pas toucher des épaules autant que la plus infime séparation par l'incompréhension des vivants.

A qui ne vit pas d'un être par le corps, la mort n'est qu'un accident corporel.

Je continuerai à vivre Remy de Gourmont, non à le revivre.

J'abandonne donc les miettes tombées de sa table à ceux qui s'en repaissent, par-dessous.

Assise à la droite de mon hôte, je continue avec lui le festin.

Je connais donc Natalie depuis longtemps et je sais peu de chose d'elle. Mais qui connaît Natalie? Elle-même se connaît-elle?

Ses symboles sont l'arc-en-ciel et l'opale. Ses bijoux sont des pierres de lune, les bibelots de sa table sont le cristal, où se jouent et se brisent les apparences. Sa théière elle-même est faite de verre, et transparente.

Toute épaisseur la rebute, toute lourdeur lui répugne. Elle est imprévue comme une vague, elle a des franchises de source, des obstinations de cascade.

Elle écrit: Je n'ai rien de rassurant, de formel, ni de fixe.

Ceux qui ne l'aiment guère disent: « A-t-elle du cœur, a-t-elle une âme? Elle est égoïste, cynique et sèche. Don Juan féminin, elle est amoureuse d'elle-même, et d'elle seule. »

Ceux-là ne la connaissent ni ne méritent de la

connaître. Certes, elle n'est pas « tout cœur », heureusement. Son intelligence est trop mâle, sa sensibilité trop intellectuelle pour se livrer à des émotions se manifestant de façon purement viscérale.

Elle n'extériorise ni ses joies, ni ses conquêtes, ni ses chagrins. Elle ne verse pas ses larmes en public. Elle a la pudeur de ce qu'elle sent vivement, et son orgueil d'Amazone ne nous la montre ni pantelante, ni évanouie, elle ne peut que mépriser ce qui ne mérite plus d'être aimé. Malgré sa mémoire de marbre, elle sait oublier, ou faire semblant d'oublier. Son jugement si sûr ne supporte d'autrui ni sottise ni mesquinerie, ni tout ce qui laisse deviner le frétillement caché d'une vulgarité. Elle est d'une pudeur de parole, d'un raffinement de chatte, de ces chattes qui laissent à peine deviner la trace de leurs pattes sur la neige, et qui, blanches, se confondent avec cette blancheur. Mais elle n'est chatte que par cette propreté de l'esprit, cette délicatesse de manière.

Elle hait le ronron facile, cette intimité un peu vulgaire, le laisser-aller, le commérage, qui si souvent lient les femmes entre elles. Je ne connais personne qui, mieux qu'elle, donne l'impression de la réserve. Elle « se » réserve. Se donne-t-elle? Je l'ignore.

Elle n'est ni désabusée, ni pessimiste. Elle est ironique. Certains la trouvent cynique, et je pense qu'elle l'est en effet. Il est difficile, quand on est intelligent, de ne pas être cynique. Mais cela est un mot qui jouit d'une mauvaise réputation. Le cynisme est une forme méconnue de l'intelligence, et même du courage moral, car il en faut pour donner leur nom, dénué d'hypocrisie, aux êtres et aux choses, pour les peser de leur poids dans la balance du jugement.

Natalie accepte, mieux, elle revendique une place parmi celles qu'on eût appelées, il y a cinquante ans, les poétesses maudites, groupe clairsemé, en tête duquel se tiennent Renée Vivien, timide et douce, qu'Anna de Noailles traitait « d'horrible femme », et l'honnête, charmante et presque naïvement saine Lucie Delarue-Mardrus. Sa fraîcheur normande se mêlant aux mille dons de son âme inquiète, la fit disperser son don majeur, la poésie. Elle en déversa le trop plein jusque dans ses romans rustiques qu'elle méprisait de lui servir de gagne-pain. Il existe d'elle un volume peu connu, Nos secrètes amours, publié sans signature, qui nous ramène à Natalie.

Mais les amours de leur jeunesse sont loin. L'éclat en demeure et s'attache à leurs noms.

Les années ont passé, les échos de la vie littéraire seuls frappent mes oreilles. Je ne sais rien, ou ne veux rien savoir, de sa vie intime que ce qu'elle a cru bon d'en révéler elle-même. Ses Eparpillements et les Pensées d'une Amazone y suffisent. Les Aventures de l'Esprit ne sont pas des confidences, mais véritablement des « aventures », des flirts, des liaisons intellectuelles. Le choix en semble parfois arbitraire.

*Elle consacre telle page à Max Jacob, à Zangwill,
à Fleg. Un poète plus grand, Rilke, ne fait que
traverser son salon sans s'attacher son amitié; il l'avait
lassée par les complications de sa politesse. Mais
Milosz, par sa puissance, son mystère, par l'immense
flamme qui l'illuminait, devait avoir l'honneur le
plus grand. Elle fut parmi les premiers à reconnaître
son génie, et demeura sa fidèle amie. A son instiga-
tion parurent, après sa mort, les Cahiers de Milocz
et dans ces précieux recueils devenus si rares, elle
lui consacra une étude intitulée* Après un silence.
*Je sais qu'elle est fière qu'il lui eût un jour écrit :
« J'embrasse les ailes de mon ange. » Son masque
de bronze domine le salon de la rue Jacob.*

Les Eparpillements, *les* Pensées *et les* Nouvelles
Pensées *d'une* Amazone *nous livrent d'elle la forme
extérieure, aiguë, intelligente et froide de son expérience de la vie, de l'amour et des amours. Cela est
brillant, spirituel, dur, impitoyable. On y trouve son
goût des raccourcis, des concetti, et sa fantaisie, ses
caprices, son cruel humour qui pénètre comme un
dard sous les masques les mieux attachés. Seul le sien
ne glisse ni ne tombe...*

*Je leur préfère une poignée de vers, car ses vers
vont plus loin. Ils dépassent son impénétrabilité. Ce
n'est plus seulement son intelligence qu'on y trouve,
mais sa sensibilité et son cœur. Il y a tel « Quatrain »
qui résonne longuement dans la mémoire comme*

un gong tragique, telle «Tierce-Rime», au rythme inoubliable, le battement même du cœur douloureux. A ces vers, que je voudrais voir réunis en un seul volume, il faudrait ajouter presque tous ses poèmes anglais, pathétiques autant que certains sonnets de Shakespeare, car cette poétesse est un exemple que je crois unique de parfait bilinguisme.

Un récent petit livre nous touche mieux encore. Il est dédié à la mémoire de Dorothy Wilde, jeune fille féerique, un peu folle, spirituelle et séduisante. Je l'avais rencontrée, par une froide nuit lunaire d'Afrique, à Mustapha près d'Alger, où, dans un palais de marbre blanc, un Anglais plein de fantaisie donnait, un soir de Noël, une fête déguisée. Le charme du lieu et je ne sais quelle ambiance rendaient tout irréel. Une jeune fille voilée glissait sur les terrasses qu'illuminait l'immense lune glaciale. On me dit qu'elle était la nièce d'Oscar Wilde.

Je la revis à Paris. Sa beauté, le rayonnement de son esprit, son imprévu, étaient attirants. Un jour nous allâmes ensemble passer quelques heures à Chartres. Nous y aimâmes l'étonnante cathédrale. Mieux encore me plut le trajet en auto, l'humour scintillant de ma compagne. Heures non oubliées, car la cathédrale est toujours là, mais Dolly est morte. Morte, comme tant d'autres. Natalie lui a consacré un mince livre de souvenirs et de poèmes, où son image revit, fantastique, fugace. La lecture en émeut comme tout ce qui ramène au thème éternel de la mort, de la beauté, de la jeunesse et de l'amour.

As moonshine turns to marble sleeping lovers
So lie our dead...

Ainsi je connais Natalie, et j'en sais peu de chose sauf le principal : ses qualités.

Aujourd'hui même, après tant d'années de relations amicales, prises, reprises et intermittentes, je ne sais d'elle à peu près rien de ce qui constitue une biographie. Je ne sais que sa réfraction en moi-même. Je n'ai d'elle qu'une vue purement subjective. De longs silences, de longues absences, des années passées hors de France, ne m'ont jamais empêchée de reprendre le chemin de la rue Jacob.

Le temps a mûri notre amitié. Les souvenirs partagés, plus de simplicité, plus de franchise aussi, nous unissent mieux que jadis. La vie nous a, l'une et l'autre, adoucies. Il n'est plus question de séduire ou d'être séduite, elle est plus proche, plus humaine. L'Amazone a désarmé.

Elle conserve sa fierté, sa force, sa dignité, sa vaste et vive intelligence. Elle voit tout de son regard bleu de glacier, qui transperce le vôtre et lit votre pensée avant que vous ne l'ayez presque exprimée, mais ce beau regard si droit, si scrutateur, auquel rien n'échappe, vient d'un glacier moins glacial, un peu fondu, un peu plus tendre devant la vie, toujours aussi méprisant, mais plus indulgent devant l'inson-dable bêtise humaine.

Il y a en elle une détente, un repos que je ne percevais pas autrefois. C'est la fin du jour, pour elle comme pour moi. L'air est paisible, les fauteuils profonds, le thé dore les tasses, et deux amies, évo-quant de communs souvenirs, échangent avec séré-nité, avec détachement, les pensées qu'ont laissées en elles les années enfuies, et la sagesse qu'elles ont engrangée.

C'est la paix du soir. Ce n'est plus l'heure de l'amour, c'est l'heure de la méditation sur l'amour. Et sur la vie. C'est l'heure aussi où l'on remue volon-tiers les cendres. Il faut peu de souffle pour voir rosir les braises, pour s'y brûler les doigts. Laissons ce gris, cette poussière. Il y a des liaisons d'âme plus profondes, plus tenaces, que celles du cœur ou du corps oublieux. Beaucoup de choses me lient à Natalie, beaucoup de choses m'en séparent. On la traite d'in-sensible. Serais-je la seule qui ait vu briller des larmes dans ses yeux?

MAGDELEINE WAUTHIER

PORTRAIT DE L'AUTEUR

PAR L'AUTEUR

EN GUISE DE PRÉFACE

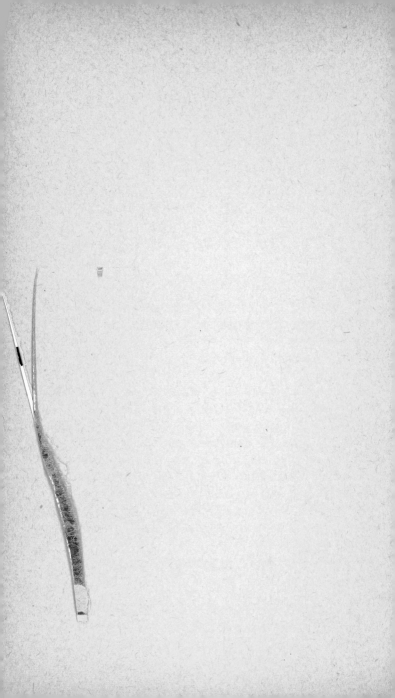

N. APPARTIENT A UNE CATÉGORIE D'ÊTRES dont l'espèce deviendra peut-être moins rare lorsque le vieux couple terrestre, définitivement discrédité, permettra à chacun de garder ou de retrouver son entité.

A ce moment de l'évolution humaine, il n'y aura plus de « mariages », mais seulement des associations de la tendresse et de la passion. Des antennes infiniment plus délicates mèneront le jeu des affinités. Ces allées et ces venues remueront de l'espace.

L'arrêt dans la fidélité, ce point mort de l'union, sera remplacé par un perpétuel devenir.

En attendant cette réussite de tout l'être, les « troisièmes » peinent entre ces deux extrêmes : « N'être ni seul, ni ensemble. »

De ne jamais réussir à former un couple, ils

portent cependant une très réelle angoisse : de leur état d'isolé, d'intermédiaire. Ayant assez de traits en commun avec « leurs semblables qui ne sont pas leurs pareils » pour se retrouver en eux, mais pas assez pour s'identifier, s'y perdre, y demeurer.

Pour rassurer sur N., cette troisième qui n'a rien de fictif, qu'on sache qu'à tout autre point de vue, elle est plus qu'humaine.

Mais le couple sera toujours son ennemi, autant celui dont elle fait partie que celui dont elle est exclue — car l'ennemi, n'est-ce pas celui qui nous est nécessaire et qui nous est contraire?

Cet impair, ce singulier, travaille à la destruction du couple, et le couple à la destruction de l'impair, du singulier.

Cette troisième ne cherche pas un complément, un conjoint, mais un semblable — un « compagnon d'amour » — une variété de son espèce, variable à l'infini — depuis l'homosexuelle la plus invétérée jusqu'à l'ange — cette paire d'ailes!

Ce qu'elle veut, en attendant les joies célestes, ce sont ces joies qui leur ressemblent à s'y méprendre. Francis de Miomandre disait de celle que Robert de Montesquiou traitait d' « invertie triomphante » : « C'est par la joie qu'elle rentre dans la communion humaine, elle qui paraissait sur tous les autres plans lui échapper. Elle était faite pour cela, pour ces exaltations souveraines... Ce rêve, parfois, très rarement, se réalise dans une circonstance exceptionnelle, dans une sorte de moment de feu dont l'ardeur dissout les scories de nos insuffisances. »

Epicurienne aux sens hypertrophiés, et douée pour cette qualité de joie qui ne peut éviter le martyre, elle souffre à l'écart avec rage et patience.

Etonnée, meurtrie et refoulée toujours de la même façon. Imaginative, confiante, les ruses et les mobiles lui échappent quand, trop passionnément prêtée à autrui, elle devient incapable de l'observer avec profit. Sincère jusqu'au sadisme, tendre, subtile et fervente avec pudeur, disciplinée et polie jusqu'à la lâcheté, personne ne l'a jamais vue souffrir, personne ne l'a jamais plainte ni secourue.

D'ailleurs, qui s'approcherait à un tel moment aurait vite emporté une pelletée de sarcasmes et une impression de cynisme plutôt que de chagrin.

Car les larmes se cristallisent en diamants d'ironie pour taillader qui ose s'apitoyer.

La troisième ne s'arrête guère pour se regarder souffrir : s'il y a un miroir, c'est toujours pour y contempler les autres.

Attentive à autrui, ce n'est que dans la solitude qu'elle reprend ses forces et recharge ses batteries.

Peu coquette. Autour d'elle, un désordre apparent où elle seule sait se retrouver. Elle ne tient pas à suivre la mode — ni qu'une mode la suive.

Une voix sombre qui remonte à la surface, vibrante d'autorité ou grave de tendresse.

Un faible cœur tenace. Des duretés insoupçonnées. Des nerfs d'un métal intraitable. Sociable mais invivable. Courtoise envers les étrangers, sincère envers ses proches. Une assez bonne opinion de soi pour se passer de flatterie. Absence d'humilité, goût de la réclame que sa paresse l'empêche de poursuivre. Peu d'êtres ou de choses lui sont sacrés. Elle foule aux pieds les maladroits; ce traitement de négrier les rend encore plus maladroits. Sans convictions, son point de vue varie selon ce qu'elle y trouve. Elle apprécie la droiture moins en soi que comme une loi du jeu. Souple et sophistiquée elle méprise la justice autant que ceux qui en font profession. Son jugement est signe de vengeance. Elle se plaît à dominer, et se lasse vite de ce qu'elle domine.

Nature de proie, mais qui ne cherche aucun profit. On la croit avare, prenant pour de l'avarice la faculté de gérer ses affaires et celles des autres de façon à n'y plus penser. On la trouve au besoin, mais on la trouve sagace. Elle dépense son ingéniosité plutôt que ses deniers — à ce commerce, les deux augmentent!

Le reste de ses traits d'union pourrait figurer sur une de ces feuilles trop vertes, trop bleues ou trop jaunes qu'une perruche de mendiant, dans les jardins des Tuileries, distribuait jadis, en manière de renseignements, aux curieux d'eux-mêmes. Mais ne se reconnaît-on pas à ce qui est distinctif plutôt qu'à un trait d'union? Inutile d'énumérer que ce TROISIÈME PERSONNAGE peut être injuste, jaloux et mesquin mieux que quiconque. Désintéressé et sans arrière-pensée, puis appréhensif et se méfiant de tout — sauf de ce qui devait arriver. Son intelligence n'est qu'un instrument de précision qui s'applique abstraitement et sans efficacité dans le commerce humain. Commerce où la bonne foi est bien la pire espèce de foi — car là où tout le monde triche, la malhonnêteté consiste à jouer franc.

Aiguisé, cependant, par les défaites que lui ont values ses conquêtes, il se braque sur un autre idéal hors de portée.

Un cerveau qui galope et combine et, ne tenant pas compte des contingences, ne trouve aucun frein à son activité parce qu'il s'exerce en quelque région imaginaire — et cela jusqu'à ce que la moindre réalité vienne le déjouer. Après cet emballement trop souvent à vide, où le cœur bat hors de propos, il recueille — au ralenti — ce qu'il a vécu, et s'attarde là où il n'y a plus un fruit dans le verger.

Exceptionnel parmi des événements qui n'arrivent pas à lui ressembler, il se heurte à des actes étrangers et participe à un roman qui semble ne jamais être le sien.

Il suffit qu'il recherche un être pour que celui-ci,

mis en mouvement par ce bien-être chaleureux, recherche, quant à lui, tôt ou tard, son complément et son foyer ailleurs, — et finisse par rejeter comme quantité inconnue, ou suspecte, ce « hors sein » comme disent les Normands d'un qui fait mine de vouloir rester chez eux.

Ils sentent, les autres, que ce troisième n'est pas des leurs et que, selon Shelley :

> *...il ne fera jamais partie d'aucune secte...*
> *— Leur foyer se referme et chacun se délecte*
> *Dans le choix d'une amie et condamne à l'oubli*
> *Toute autre belle et sage —.*

Ce troisième, ce disparate, ce singulier, cet isolé, ce dépareillé, cet impair, ce solitaire parmi les accouplés, cet enfermé dehors, est généralement représenté en Séducteur et non en victime de son état libre — ce qui, par nature plutôt que par inclination, l'oblige à se différencier des autres sans pouvoir s'en affranchir.

Et ne doit-il pas à ses rapprochements, qui ne sont qu'un instant de joie et d'entente ou d'égarement, toute une vie repliée à l'écart où il expie dans la solitude son goût pour de proches étrangères? Pour de tels êtres, il semble moins hasardeux de se produire que de se reproduire.

PREMIÈRE PARTIE

Chez Berenson en 1940

A UN MOMENT CRITIQUE de cette « drôle de guerre »
une dame étrangère arriva, effarée, à un déjeuner
où nous l'attendions, avec cette seule parole aux
lèvres : « Où fuir, où fuir ? »

Mon ambassade m'avait signalé — comme déjà
en 1914 — que si je restais en pays belligérant,
ma sécurité ne serait plus garantie. Ma compatriote,
Romaine, était déjà partie pour Florence. Elle y avait
acheté un domaine sur la colline, via San Leonardo,
d'où elle comptait suivre les événements par sa radio.
Mes amies françaises les plus chères s'étaient déjà
réfugiées dans leur famille, en Provence, ou près de
la frontière espagnole. Ma chère Dolly Wilde attendait chez moi, d'un instant à l'autre, le signal d'un
départ, via la Bretagne, pour l'Angleterre où elle
se rendait en patriote fidèle.

Chez Cook, où j'accompagnai ma sœur qui devait prendre des billets réservés pour son voyage aux Etats-Unis, via Saint-Jean-de-Luz et le Portugal, je saisis un dernier billet de wagon-lit, qu'on venait de rendre, sur le Rome-express. Je rejoignis ainsi mon amie Romaine qui avait la conviction d'être à l'abri dans une Italie neutre. En m'installant chez elle j'eus cependant la prudence de retenir à tout hasard une cabine à deux lits sur *le Rex* qui devait partir pour l'Amérique le mois suivant — départ qui, d'ailleurs, n'eut pas lieu.

En attendant, l'Italie nous sembla — de préférence à une Espagne inconnue et à un Portugal déjà plein de réfugiés — le meilleur endroit pour y finir l'été. La Suisse, en cas de nécessité, et même l'Atlantique, nous restaient des issues possibles. Ainsi tranquillisées, nous nous laissâmes bercer par la douceur d'être en Italie et parmi de vieux amis tels que les Berenson, avec qui nous avions déjà partagé les hasards de l'autre guerre : lors de leur venue à Paris en 1915 où j'avais rencontré Bernard Berenson pour la première fois chez Salomon Reinach. Ce fut un de ces coups de foudre de l'amitié et, depuis lors, nous restâmes fidèlement et tendrement attachés l'un à l'autre.

La villa « I Tatti », sur une colline à Settignano, est une des plus agréables des environs de Florence. Il n'y manque ni conversations savoureuses, ni, comme

dans la *Vita Nuova* de Dante, le récit de dames douées
« d'intelligence en amour », ni érudition, ni cercle,
à la Decameron devant ces pelouses et fontaines,
serres à mi-côte où s'asseoir, bois où s'égarer, jardin
ni potager. Une grande statue à l'entrée y voile d'une
aile la perspective. Un hall traverse la maison. A
droite la bibliothèque qui ressemble à une chapelle.
A gauche, dans le « living room », quelques chefs-
d'œuvre aux murs et des sofas et fauteuils confortables d'où les contempler. Mrs. Berenson, majes-
tueusement grande et dont le « tea gown » de peluche
violette et une étole d'hermine assortie à ses cheveux
blancs, faisaient penser au roi Lear, aurait un abord
impressionnant s'il n'était tempéré de paroles affables,
prononcées d'une voix chaleureusement américaine.
Berenson ne paraît qu'à ses heures, toujours menu
et net, avec un œillet de couleur variable à la bou-
tonnière. Il nous embrasse et nous touche de ses
doigts d'une rare sensibilité. Son regard a la pureté
d'un astre, mais gare à ce qu'il peut proférer de
provocant ou de malicieux...

En cette fin de printemps 1940, cette maison
accueillante, gérée en grande partie par deux jeunes
sœurs (nées d'une baronne balte apparentée à Kaiser-
ling et d'un père italien), qui font tout marcher
comme sur des roulettes ailées.

Chez les Berenson, après l'heure du thé où Romaine
avait l'habitude de poursuivre à haute voix la lecture

d'un des chapitres de ses mémoires, lecture réclamée chaque fois par Mary et « B. B. ». Une jeune femme ressemblant étonnamment à Nijinski, et qui n'était autre que sa fille, fit un jour irruption dans le salon. Comme ses pieds bondissants étaient plus éloquents que sa conversation, nous lui demandâmes de nous danser quelque chose. Afin de l'y entraîner, un pianiste tchèque se mit à jouer le prélude qu'il savait être au répertoire de cette danseuse. Nijinska se leva du tabouret où elle s'était installée aux pieds de Mary Berenson, et agitant légèrement les écharpes de sa robe couleur feuille morte, elle céda peu à peu à la musique : ses bras, ses pieds et tout son corps furent alors emportés dans un rythme irrésistible.

Elle dansa devant nous. Sa souple charpente maîtrisée, douée de ressorts secrets, la portait, légère et puissante comme une nageuse, à travers les transparences de l'air.

Au milieu d'une giration rapide, ses mouvements se figeaient dans une immobilité qui semblait insoutenable. Mais une vibration musicale la délivrait en parcourant son corps qui redevenait fluide. Ses yeux perdus reprenaient leur regard félin de chat-tigre. — Chat-tigre à peine apprivoisé, qui se remettait à vivre de tous ses sens ouverts.

Suivie du remous de l'air déplacé par sa danse, elle courait sur nous, sans nous voir — à la poursuite de quelque chose de visible pour elle seule.

Ses gestes se succédaient sans s'interrompre, ils sortaient les uns des autres et se confondaient dans une continuité d'aspects différents qui nous la livraient tout entière.

Puis, bercée par une autre cadence, elle semblait charmée de s'endormir dans ses propres bras — d'où elle revenait à elle, à nous, reposée, allégée d'une transe.

Les ondes qu'elle avait mises en mouvement s'élargissaient et gagnaient les bords du silence où nous étions.

Rendus à la conscience de nous-mêmes — car nous nous étions quittés pour la suivre — nous reprenions notre pesanteur, notre ankylose, cette camisole de l'âge que nous ne sentions plus; mais notre effort pour bouger nous rappela à notre état statique — d'où, grâce à l'art d'une danseuse, nous nous étions évadés quelques instants.

Durant ces interludes et diverses réunions, Berenson me tenait souvent par la main afin de rétablir, par le courant subtil du toucher, ce bel échange de sentiments qui ne s'est jamais tout à fait perdu entre nous. Et dont sa dernière lettre en 1955 fait foi.

Une amitié intermittente

Extraits de lettres adressées par Berenson à Miss Barney entre les années 1917 et 1955[1].

9 janvier 1917. Paris. Hôtel Ritz.

C'était délicieux de vous rencontrer, si sensible, appréciative, alerte. A mon âge je devrais me montrer plus indifférent, mais ne puis résister à mon plaisir. Il y a bien assez de gens pour veiller à ce qu'on ne soit pas détourné du sens desséchant de la réalité. Je bénis donc les dieux qui nous ont présentés l'un à l'autre, et je les prie de nous continuer leur faveur.

---

1. Pour expliquer les longs intervalles qui se glissèrent dans la correspondance de Berenson, il me faut dire que, résidant à Beauvallon pour des séjours prolongés, beaucoup de lettres s'égarèrent entre les années 27 et 40.

19 janvier 1917. Saint-Jean-sur-Mer (A.-M.).

D'un sens, le temps comme toutes choses dispose de la qualité aussi bien que de la quantité, et nous en avons déjà fait l'expérience en devenant de plus grands amis en deux ou trois heures que les autres en cent et plus. Et puis il y a ceci. Vous pourriez venir à Florence à des intervalles de quelques mois. Je suggère cela timidement car j'ignore ce qui vous rattache à Paris et quels liens de passivité, d'occupations ou de sentiments vous y retiennent. Mais si vous disposez suffisamment de votre liberté, pourquoi ne pas partir dès maintenant pour un séjour chez nous?

2 février 1917. Settignano.

La joie d'une planète nouvelle naviguant dans mon orbite serait, pour la créature avide, égoïste que je suis, une transition entre la vie de loisir et la vie de travail... Je viens de finir à l'instant : *Du côté de chez Swann...* Connaissez-vous Marcel Proust, et s'il en est ainsi, parlez-moi de lui. Pourquoi ne m'envoyez-vous pas le petit volume d'aphorismes que vous m'avez promis? Même s'ils sont en vers; car souvenez-vous de l'intérêt que je vous porte, qu'il s'agisse du fond aussi bien que de la forme.

UNE AMITIÉ INTERMITTENTE

Vos notes — trop exquises pour être qualifiées de lettres — rehaussent à ce point la vie, que je souhaite sincèrement pouvoir en recevoir chaque jour... En tout cas, je suis ravi de votre poème au sujet de ma visite chez vous dans la neige. J'aime votre comparaison de la tombante neige, à l'éparpillement des pétales de la rose, et j'aime le vers : « Fleurs du froid effeuillées par l'hiver... »

Chez Salomon [Reinach], ce jour béni où je vous rencontrai, je fis délibérément un pas en arrière dans l'espoir que vous me rejoindriez. Je ne vous ai pas envoyé mon livre, craignant qu'il ne contînt rien qui pût vous intéresser. Cependant, maintenant que vous désirez me connaître davantage, je comprends votre désir de le lire... J'en suis venu à aimer mes amis aussi bien pour ce que j'approuve et admire en eux que pour le contraire. J'ai atteint l'âge où l'on peut réellement aimer parce que l'on en vient à complètement admettre le droit à d'autres opinions, à d'autres désirs, à d'autres rêves. Et pour rien au monde je ne voudrais que l'amitié consistât en similitudes. Je voudrais qu'elle fût une étreinte de divergences. Aussi, je vous en prie, envoyez-moi ce que vous avez, ou apportez-le.

4 mars 1917. Settignano.

Nous serons l'un et l'autre sincèrement heureux de votre séjour chez nous. Vous n'aurez à supporter que peu d'inconvénients matériels (à l'exception de ceux que cause le manque d'essence) mais il y en aura d'autres plus nombreux d'un ordre plus subtil. Car je puis ne pas être dans mes meilleures dispositions. Par moments je ne sais quel sauvage Sémite, Tartare ou Slave parmi mes ancêtres, s'empare de moi. Mais il est rare que je morde, bien qu'il m'arrive à l'occasion d'ennuyer... J'ai pris le plus grand plaisir à vos *Actes et Entr'actes*. Mettant de côté le fait que ce n'est pas une mince réussite — ce qui d'ailleurs ne m'impressionnerait pas — en tant qu'exercice de transposition de vous-même, vos vers frappent sur ma lyre une corde singulièrement vibrante. Car bien qu'écrits en français, ils émanent essentiellement de l'impulsion du pèlerin qui vient d'Amérique vers la beauté... Je me demande combien il existe de personnes susceptibles de vous apprécier autant que je le fais... Pour cela, il faut d'abord connaître l'anglais aussi bien que le français.

27 mars 1917. Settignano.

Qui est assez organisé, assez énergique pour demeurer inactif? Et assez adulte pour se montrer improductif? Vous pas plus que moi, c'est évident. Je mouds de pesantes études où mon âme se perd, et vous qui êtes beaucoup plus raffinée, et par-dessus tout, beaucoup plus artiste que moi, vous écrivez de courtes et cryptiques histoires comme celle que je vous renvoie — avec regret car j'aurais aimé la garder —. Que de traits épigrammatiques je trouve dans ce récit et qui s'accordent si bien avec mes propres idées. « J'aime l'amour de ceux qui sont assez éloignés. Il devient alors ce que je veux en croire. » — « Nous ne nous faisons pas de scènes, nous n'aimons pas les mêmes choses. » — « C'est plus facile d'aimer que d'aimer bien. » — « La vie est ce que les autres gâchent pour nous. » — « Elle se tourmente beaucoup pour de petites choses, non pas parce que sa nature est petite mais parce qu'elle est sensible. »

Salomon [Reinach] réclame à cor et à cri de vos nouvelles et présume que vous êtes ici. Je me demande ce que vous signifiez pour lui... Je me demande quelle grotesque invention de son esprit de grammairien vous êtes devenue, et comment il vous présenterait si vous deveniez le thème d'un de ses *Mythes, Cultes et Religions.* Cher Salomon. Pour lui, vous êtes — vous et toutes les autres femmes — des gloses sur les textes mutilés de Sapho, et ceux, obscurs, de Virgile. Et lui aussi a raison. Pourquoi pas? Beaucoup plus de romanesque, de désir, et même de passion se dissimule derrière ses pédanteries, que n'en a jamais connu maint *homme à femmes* [1]. Aussi, je me sens plein de *tendresse* [2] pour lui, et tout en me moquant beaucoup de lui, c'est toujours avec la plus pure affection.

11 avril 1917. Settignano.

Il y a toujours quelque chose de si fascinant dans l'Euphorion que l'on devient au contact d'un nouvel ami. Il y a tant d'aspects de nous-mêmes qui n'ont jamais connu le jour, et je suis toujours curieux de découvrir celui qui, de ce fait, va m'apparaître. N'est-ce point ainsi qu'il faut comprendre l'amitié? Du moins pour moi... Depuis ma plus tendre enfance j'ai cherché une amitié de ce genre. A une ou deux reprises j'aurais pu la trouver. Peut-être étais-je trop jeune pour la comprendre lorsqu'elle s'approcha, effectivement. Ce ne serait pas le cas, maintenant, si cela devait arriver. Est-ce à vous que je le devrai?...

L'agitation causée par les événements m'a laissé épuisé, desséché... On voudrait, pour une fois, en un temps comme celui-ci, laisser son cœur battre et vibrer. A ce moment de ma vie, il n'est rien que j'aie autant souhaité que ce que l'Amérique vient de faire.

1. En français dans le texte.
2. En français dans le texte.

UNE AMITIÉ INTERMITTENTE

Lundi soir. Paris.

Je viens à vous pour trouver votre esprit dégagé
— devrais-je dire le meilleur de votre esprit — et
vous ne me donnez souvent qu'une attention préoccu-
pée, orientée ailleurs et par ailleurs absorbée. Je ne
vous juge pas. Je ne vous dis pas que vous agissez
mal pour vous-même selon votre propre point de
vue. Mais cela m'irrite et me cause du souci.

15 avril 1918, 40, avenue du Trocadéro.

Pauvre amie. J'ai une intuition de ce que vous
avez dû endurer, et de ce qui vous fait encore souffrir.
Nous avons tous nos tunnels à parcourir, sombres,
humides, vils. Il ne faut pas se laisser dominer mais
cheminer vers la lumière une fois de plus. Puissiez-
vous voir bientôt la fin de vos ennuis.

5 janvier 1921. Boston, The Copley Plazza.

J'espère vous trouver à Paris lorsque je reviendrai
à la fin de mars... Ni l'un ni l'autre [Berenson et
Mary, sa femme] ne pouvons plus supporter longtemps encore les réjouissances. Et tout bien considéré,
je ne désire pas y être mêlé, tout en ressentant légèrement le fait d'en être absent. Les hommes me

plaisent assez. Mais les femmes... Quand l'attrait physique s'est dissipé, combien peu d'entre elles vous
attirent. Je reste cependant fidèle à mes anciennes
amours. Ainsi me délectai-je avec Isabelle Gardner
bien qu'elle ait quatre-vingt-cinq ans et qu'elle soit
frappée de paralysie.

8 avril 1921. Paris. Hôtel Ritz.

Chère Natalie, j'ai été très déçu et vraiment triste
de ne pas vous avoir aperçue. Vraiment, il faut que
vous veniez nous voir si vous réussissez à vous désen-
gager de cet imbroglio de papier tue-mouche, et à
vous libérer pour quelques jours. D'un sens, cela n'a
plus beaucoup d'importance si je vous revois maintenant ou jamais. La qualité de ce que vous êtes
pour moi, j'en ai fait ma substance. Un contact
renouvelé pourrait à peine l'augmenter, l'altérer
encore moins.

16 août 1955. Vallombrosa, Province de Florence.

Cette dernière visite, pour courte qu'elle fut, m'a
ramené la Natalie que j'ai tant aimée il y a quarante ans. Merci de m'avoir permis de ressaisir un
reflet de ces jours doux-amers de vie intense.

Avec amour,

B. B.

Traduit de l'anglais.

Gertrude Stein

EN ÉVOQUANT UN ÉCRIVAIN dont la camaraderie m'enchanta et me reste chère, comment ne pas signaler tout d'abord sa personnalité magnétique et le pouvoir d'attraction qu'elle exerçait et auquel tant de gens cédèrent. Elle attirait non seulement des écrivains, mais des peintres, des musiciens, et aussi — ce n'était pas le moindre de son influence — des disciples. Elle déclarait volontiers : « Cela ne m'ennuie pas de rencontrer n'importe qui une fois. » Mais elle s'en tenait rarement à une règle aussi stricte.

Bien qu'elle eût une personnalité très affirmée, elle savait écouter avec intensité et compréhension.

« La vie, c'est ce que les autres abîment pour nous », disait une amie trop belle, devenue par fatalisme une épave. Combien de ces existences gâchées vinrent à Gertrude avec le récit de leurs infortunes, imputables à quelque situation sans issue, ou à quelque ornière sentimentale. Au lieu de leur témoigner une sympathie superficielle, elle les aidait à sortir d'embarras en substituant à une obsession ou à une idée fixe, un nouveau départ dans une nouvelle direction.

En tant qu'élève de William James, sa connaissance des réactions humaines se révélait efficace à l'égard des gâcheurs d'existences; chez certains il lui arrivait de déceler un don pour l'imposture qu'elle parvenait parfois à leur faire avouer. Ou bien elle leur indiquait les moyens de se débarrasser de leurs victimes, considérant, d'accord en cela (si je ne me trompe) avec Henry James, qu'il n'est rien de pire qu'un tyran, si ce n'est la victime du tyran.

Encore plus curieuse des « cas » que de leur guérison, elle se servait beaucoup de ses interlocuteurs pour ses pièces ou ses nouvelles. Il en est même qui pourraient se reconnaître dans ses œuvres, s'ils sont suffisamment initiés au jeu de Colin-maillard. Mais en l'occurrence, c'est le lecteur qui porterait le bandeau.

Elle publia aussi des ouvrages, d'une plume acérée, d'une pénétrante lucidité, qui témoignent, comme *Les choses telles qu'elles sont,* d'une psychologie très subtile.

Moi-même, qui n'ai pas pour habitude de consulter qui que ce soit au sujet de mes problèmes, il m'arriva de confier certains d'entre eux à l'oreille obligeante et avisée de Gertrude. En un instant et d'un seul mot : celui de « consanguinité », elle discerna la source du mal.

Elle ne semblait jamais ni hésiter, ni réfléchir, ni viser un but, mais invariablement, elle frappait au cœur de la cible.

SOUVENT, nous nous promenions ensemble le soir. J'étais accueillie, rue Christine, à la porte du n° 5, par la solide présence de Gertrude, l'agréable contact de sa main, sa voix bien modulée, toujours prompte au gloussement étouffé d'un rire.

Nos conversations et nos promenades nous entraînaient loin des chemins battus, car n'ayant à affûter aucune hache pour exécuter qui que ce fût, nous nous sentions libres d'errer dans notre vieux quartier tranquille. En promenant le caniche « Basket », nos pensées comme nos pas s'accordaient tout naturellement. Basket, sans laisse, courait devant nous, tache blanche, fantôme de chien, le long des rues écartées, baignées de lune.

> *Ruelles dont l'ombre s'empare,*
> *Silence où notre pas effare*
> *Le jeu des amants qu'il sépare.*

Les sortilèges nocturnes rendaient nos conversations aussi légères, irisées, bondissantes, que des

bulles de savon; mais elles s'évaporaient aussi facilement pour peu qu'on y touchât. Aussi n'en effleu-
rerai-je aucune ici.

J'ai aussi rencontré Gertrude Stein à New York,
au cours de l'hiver, glorieux pour elle, de 1934-1935,
et je me promenai avec elle par une de ces journées,
rayonnantes comme le diamant, où le moindre mouvement fait jaillir des étincelles.

Observant anxieusement l'indépendance avec laquelle, sans la moindre appréhension, Gertrude tra-
versait les rues, je lui demandai comment il se faisait
qu'elle n'hésitât jamais au bord des trottoirs, comme
je le faisais moi-même, avançant le pied, puis le
reculant, pour guetter une occasion favorable.

« Tous ces gens, me dit-elle, y compris les aimables
conducteurs de taxis, me reconnaissent et prennent
soin de moi. » Ce disant, elle s'élança, ses jupes
plutôt longues tendues comme des voiles par une
brise marine, puis elle aborda de l'autre côté de la
59ᵉ rue, dans le Parc, avec autant de confiance que
les Israélites traversant la Mer Rouge, tandis que
moi, suivant trop tard son sillage, je manquais d'être
submergée.

Elle acceptait sa célébrité comme un tribut, lent
à venir, mais mérité, et l'appréciait énormément. Une
seule fois, à Paris (ce fut en fait la dernière fois
que je la vis) elle se montra contrariée d'avoir été
reconnue par un photographe, car il se mit en travers

de sa route, comme elle entrait chez Rumpelmeyer.

Afin de concilier et son désir de pâtisserie et la requête du photographe, elle le laissa la photographier à travers la vitre, en train de manger son gâteau. Son impatience était surtout causée par un déjeuner décevant, dont nous venions de faire l'expérience chez Prunier, déjeuner au cours duquel nous avaient été refusées toutes les variétés de poissons que nous avions commandées avec un appétit accru par les privations subies pendant la guerre et par les restrictions qui étaient encore imposées. Jusqu'à ce que finalement (ceci se passait en 1946), désespérant de retrouver jamais un monde meilleur, Gertrude laissât tomber sa tête entre ses mains, en la balançant de droite et de gauche. Et c'est seulement lorsque nous parvînmes à cette pâtisserie de la rue de Rivoli que son humeur et son appétit se ranimèrent à la vue d'une compensation partielle.

DÉCOUVRIR de nouveaux gâteaux a toujours été la préoccupation, en temps de paix, de Gertrude et d'Alice [1]. Les rencontrant par hasard à Aix-les-Bains, je leur demandai ce qu'elles pouvaient bien faire sur cette rive du lac du Bourget, et j'appris qu'une variété nouvelle de gâteaux avait été signalée dans un des

1. Alice Toklas.

villages des montagnes avoisinantes. Mais, au préa-
lable, obligées de faire d'autres courses, elles des-
cendirent du siège élevé de leur vieille Ford, Alice
couverte de bijoux comme une idole, et Gertrude
avec son air de divinité indienne. Comme elles
disparaissaient à un tournant, non sans provoquer
quelque surprise, la seule offrande qui me parut digne
d'elles fut un de ces nénuphars d'un rose sombre,
à longue tige, semblable à du caoutchouc, que
j'achetai et glissai entre les rayons du volant de
Gertrude, avec un mot d'explication : « Une baguette
magique pour vous guider. »

Une autre rencontre avec ce couple inséparable
eut lieu dans leur jardin de curé à Béliguin, au cours
d'un autre après-midi d'été. Cela faisait un peu penser
à la couverture que Cecil Beaton avait dessinée pour
le livre de Gertrude Stein : *Les Guerres que j'ai vues,*
avec la différence qu'un vaste parasol remplaçait les
parachutes, et que nous étions paisiblement assises
sur des fauteuils de toile aux vives rayures. Nous
formions un groupe de quatre, car Romaine Brooks
m'accompagnait, sans compter Basket, dont les gam-
bades en circuits et les cabrioles autour de nous res-
semblaient à un numéro de cirque.

Avec le thé de Chine que l'on apportait, Alice
servit un gâteau ébouriffant de sa confection, probablement un gâteau à la noix de coco, comme seuls
les Américains savent en faire. Glacé de sucre blanc

et ourlé de sucre rose, il était assorti au pelage blanc
de Basket et incidemment à ses taches roses. Gertrude était assise dans la position familière de son
portrait par Picasso; vêtue d'étoffes rudes, chaussée
de mocassins, les genoux écartés, elle me rappelait
la Reine des Indiens sous sa tente, comme aux jours
lointains de ma vie à Bar Harbor.

Pendant ce temps, Romaine, observant notre
groupe et le trouvant digne d'être peint, émit le
désir d'en commencer immédiatement le tableau,
avant le déclin de la lumière et de son inspiration.
Mais moi, élément contrariant de cette réunion, en
vertu de mon sens de l'heure et de l'engagement que
j'avais pris d'aller m'amuser ailleurs, je déclarai
qu'on nous attendait Romaine et moi. Voilà pourquoi
ce tableau ne fut jamais exécuté. *Mea culpa.*

Le flair de Gertrude et d'Alice pour les gâteaux
m'oblige à conclure que tandis que les poètes meurent
de faim dans les greniers ou comme en France dans
les chambres de bonne, sustentés à la fois par les
souvenirs de leur passé et leur espérance dans l'avenir,
un auteur comme Gertrude, n'admettant rien qu'un
« continuel présent », savait se nourrir de douceurs
tangibles et se contenter de la renommée du moment,
ce qui est la manière la plus sûre de saisir le gâteau,
et, tout en le mangeant, de le conserver?

JAMAIS SA CONFIANCE en elle-même ne l'aban-
donna. Déjà, quand ils étaient encore enfants, son
frère Léo et elle discutaient pour savoir lequel des
deux deviendrait le génie de la famille. Léo se croyait
le prédestiné; mais Gertrude, se tournant vers ses deux
visiteuses qui se trouvaient être ce jour-là Mme de
Clermont-Tonnerre et moi, déclara emphatiquement :
« Comme vous le voyez, le génie, c'était moi. »

En vérité, une telle certitude dépasse l'entendement,
mais que l'entendement est une pauvre chose devant
une telle certitude.

Et comme la foi est plus exaltante que la raison,
elle vit juste en déplorant un jour qu'Ezra Pound fût
devenu « le raisonneur du village ». C'est ce qui
explique pourquoi un si grand poète et découvreur de
poètes, finit par aboutir à l'impasse où il se trouve
aujourd'hui.

COMME GERTRUDE STEIN se trouvait à la plus haute
crête des vagues du succès qui la portait, Harold
Acton la persuada de faire une conférence à l'Univer-
sité d'Oxford, pour une classe d'étudiants. Elle réussit
à fasciner son auditoire, sans la moindre concession
pour se mettre à sa portée. Sa conférence planait
au-dessus des étudiants. Ils percevaient que quelque
chose les dépassait qui ne pouvait ni déchaîner leur

hilarité ni stimuler leur jugement. De sorte qu'il ne leur resta rien d'autre à faire qu'à applaudir furieusement. Ensuite elle consentit à se mettre à leur niveau. Il en résulta que leurs questions et ses réponses furent à la fois inspirantes et inspirées.

SON ESPRIT DÉMOCRATIQUE la rendit populaire auprès de nos G.I's de la seconde guerre mondiale. Eux aussi décelèrent en elle quelque chose d'unique quand elle vint parmi eux. Ainsi les achemina-t-elle, comme une sorte de vivandière de l'esprit, de la guerre à la paix, les aidant à percevoir non plus leur existence collective, mais leur existence individuelle. Mais, dans certains cas, ce changement s'avéra difficile à obtenir, car ils répugnaient à se voir « séparés des autres... à ne plus continuer à se grouper... faire partie de... appartenir à... » etc. Ce fait me fut révélé à Florence par un grand G.I. qui me confia que l'impulsion de se joindre à ses camarades était si forte, qu'il n'arrivait même plus à prendre le temps nécessaire pour se brosser les dents. Cette rupture avec l'instinct grégaire pour redevenir soi-même, et peut-être n'être plus rien, au lieu d'être une compagnie; cette obligation de ne compter que sur soi, au lieu de s'en remettre au chef qui les commandait (tout étant prévu pour eux, y compris la mort); cet effort de dépouiller

l'uniforme, qui rend uniforme, c'était plus que beaucoup d'entre eux ne pouvaient supporter.

Et comment n'auraient-ils pas eu la nostalgie de
leur régiment quand ils retournaient à l'arrière et
encouraient le risque de devenir des gêneurs dans
leur propre famille, ou la proie d'hommes d'affaires
hostiles? A ces moments-là, Gertrude leur offrait de
revigorantes perspectives et les encourageait.

Ce doit être à cette époque qu'on la photographia
devant le drapeau américain.

Si PATRIOTE que se montrât Gertrude Stein, elle
donnerait certainement tort à notre affligeant dicton
national selon lequel « un homme en vaut un autre ».
Du reste personne n'a jamais osé dire cela d'une
femme américaine.

De son étude *Making of Americans,* j'ai traduit
en français les phrases les plus significatives sur notre
progrès dans l'art de nous différencier. Ces pages
furent lues, entre les deux guerres, dans mon salon,
à des réunions conçues pour provoquer une meilleure
compréhension entre des écrivains américains, anglais
et français.

A l'un de mes vendredis consacré à Gertrude
Stein, Myrna Loy exprima son admiration pour cette
novatrice qui « balayait le cirque littéraire, pour faire
place à de nouveaux exercices ».

De nombreuses tentatives en ce sens, à commencer par les siennes, furent lues chez moi; un grand zèle pour les traduire s'empara de beaucoup d'entre nous et dure encore.

Mes *Aventures de l'Esprit,* publiées en 1929, font état de ces réunions, de même qu'elles englobent des lettres à moi adressées par Pierre Louys, Gabriele d'Annunzio, Marcel Proust, R.M. Rilke, Max Jacob, Paul Valéry, etc. Gertrude eût souhaité que ce livre fût traduit en Amérique, car il offre un résumé authentique, encore qu'incomplet, de notre période littéraire la meilleure, et de ceux qui contribuèrent à la rendre telle, Gertrude Stein appartenant à cette période qui fut celle de sa formation. Elle s'y affirma sans jamais empiéter sur autrui (si ce n'est par son influence et sa compréhension). Quant à elle, elle ne faisait aucune concession à ses lecteurs — il est même douteux qu'elle leur ait jamais accordé une pensée.

En revenant sur les impressions qu'elle m'a laissées, de vive voix et de mémoire, dans ces tableaux fragmentaires, je m'aperçois que j'ai quelque peu remplacé l'essentiel par le superficiel. Je suppose que le désir de goûter et de connaître une telle personnalité sans pénétrer au plus secret de ses desseins ressemble à l'effort de quelqu'un qui se contenterait de capter des reflets sur l'eau, sans se soucier de sa profondeur. C'est bien ce que je suis en train de faire ici. Cependant j'ai tenté de plonger jusqu'à ses mystères sous-marins à la recherche d'une perle trop rare. Je n'y ai trouvé hélas qu'un lit rocheux, et j'ai dû remonter vers la surface, suffoquant d'avoir absorbé trop d'eau salée.

Etant un écrivain de « pensées », j'aime à extraire celles de Gertrude comme on extrait la chair d'un coquillage, et tandis que je m'y efforce, Gertrude semble se complaire à ne pas se laisser saisir. Son système consiste en des approches de son sujet; sans y pénétrer, elle l'enveloppe à la manière des boules de neige, qui, en roulant, ramassent tout ce qu'elles rencontrent sur leur passage. Et cela, m'a-t-on dit, afin de créer une atmosphère, un tableau, non par des associations mais par des dissociations.

Elle témoigne aussi d'une préférence marquée pour les « similitudes » en opposition avec les « contrastes ». Méthode qui depuis longtemps donne ses preuves en matière de rites et d'incantations. Quant à ses répétitions, elles me donnent l'impression d'être un moyen pour l'auteur de gagner du temps en attendant de trouver la phrase suivante, et me rappellent ces longs sermons qui provoquent une compréhension tardive de l'auditoire, dans l'atmosphère mêlée d'encens et de musique. Mais je me souviens aussi de notre joie d'enfants, quand nous étions sur les chevaux de bois et qu'on nous accordait une seconde, une troisième chance de passer la lance dans l'anneau d'or.

GERTRUDE STEIN

L'EXEMPLE DE GERTRUDE STEIN ne serait-il pas autrement stimulant si elle n'allait pas trop loin dans l'usage qu'elle fait de ces procédés? Les systèmes ont quelque tendance à entraîner leurs inventeurs, à moins que quelqu'un ne s'en empare pour s'approprier le meilleur de leurs trouvailles, tandis que l'inventeur lui-même, comme dans le cas qui nous occupe, demeure à la fois monotone et déconcertant. Sur ce point, Gertrude nous répond que « déconcerter est un mot dénué de substance ». Mais que dire de la monotonie? Et pourquoi cet auteur, qui se montre capable d'inventions aussi frappantes, risque-t-il de nous égarer dans une telle jungle de mots?

Si encore le sens de ses propos n'était obscurci que par leur densité comme dans le *Work in Progress* de Joyce, ou dans les *Cantos* d'Ezra Pound, je ne pourrais que l'approuver, de même que d'autres briseurs de routine; tel Remy de Gourmont et sa « dissociation d'idées ». Mais je ne vois pas où nous mènent des mots si sereinement dissociés de leur sujet.

Toutefois, je suppose que dans les civilisations, des périodes de transition surviennent où les mots doivent divorcer d'avec les idées, de façon à retrouver une vitalité nouvelle, et de plus libres associations.

Et en vérité, on ne doit pas attacher trop d'importance au fait de comprendre, de peur de laisser échapper des résultats essentiels. Aussi dois-je jouer le jeu de « je me cache, cherche-moi », cher à cet auteur; ou bien m'en tenir à mes préférences qui vont à ses ouvrages les moins hermétiques.

J'envie toutefois ses chevaliers servants : Thornton Wilder, Scott Fitzgerald, Hemingway, Carl van Vechten, Bernard Fay, Max White, etc., qui sont capables, étant initiés, de tourner sans vertige sur ses traces, alors que nous sommes exclus de ses *Fantaisies s'échappant au travers du langage...* (R. Browning).

Pourquoi, cependant, ses fantaisies se révèlent-elles aussi décourageantes? Mais il nous faut être patients avec les génies, car ils sont patients avec eux-mêmes.

Depuis longtemps je me dépense
Mais sans savoir ce que j'en pense!

Tel est actuellement mon état d'esprit.

Dois-je avouer, comme je le fis une fois au grand amusement de Paul Valéry, que « j'ai peur de lire »? Et ne devrais-je pas être d'autant plus effrayée au cas où mes commentaires auraient pour résultat d'avoir trahi une amie proche, ou moi-même?

Voici pourtant ma contribution à un rapide portrait de Gertrude Stein. Elle-même y participe en venant amicalement au-devant de moi avec des phrases comme celles-ci :

« Personne ne sait ce que j'ai l'intention de faire, mais moi je le sais et je sais quand je réussis. »

« Que peut-on espérer des paragraphes et des phrases quand j'en aurai fini avec eux? »

« Ceci est une phrase, mais deux mots ne peuvent faire une préface. »

« J'ai souvent remarqué que l'invention — et il y a énormément d'invention — j'ai souvent remarqué que l'invention ne concerne qu'elle-même, moi je ne me sens aucune responsabilité. »

De telles phrases ne s'expliquent-elles pas d'elles-mêmes? Mais il est difficile de ne pas s'agacer d'une méthode qui permet à son auteur d'écrire délibérément tant de pages ennuyeuses? Et puis, soudain, on se trouve ranimé par des remarques saisissantes telles que :

« Une phrase parle à voix haute. »

« Un nom propre est la nature personnifiée. »

« Combien de saints sont irréligieux? »

« Je reconnais la nécessité des religions, de toutes les religions... »

Et aussi ces aperçus de romans non écrits :

« Elle avait toujours su qu'elle représenterait un tout. Il avait toujours su qu'il serait en perpétuel devenir. »

« Elle est sa seconde vie. »

« Comment pouvez-vous être aussi radieusement lointaine? »

« Hâtez-vous vers moi paisiblement. »

« Eclipsant mes sentiments. »

« Je ne savais pas que l'amour pourrait encore me mécontenter. »

« Combien chèrement est-elle moi? Combien chèrement est-elle moi? Combien chèrement, combien très chèrement suis-je elle? »

Et quelle fraîche beauté dans des définitions comme :

« La civilisation commence par une rose. »

« Ceci est la fleur de mes feuilles. »

Et aussi, comme elle a dû s'amuser en écrivant :

« J'ai inventé beaucoup de titres et de sous-titres. — S'il vous plaît; faites le lit de Mme Henry. Seigneur, seigneur, mais c'est un titre! »

Je me suis demandé si je pourrais écrire moi-même des phrases steiniennes, et j'ai réussi à dissocier le sens du sens. Il est malaisé d'obtenir que quelque chose ne signifie rien et que rien signifie quelque chose. J'ai essayé. Voyez le résultat :

« Aimai-je cela, aimai-je aimer cela? Ou n'aimais-je pas aimer cela, ou n'aimais-je pas ne pas aimer cela?

Ou n'aimais-je pas aimer ne pas aimer cela? Ou n'aimais-je pas ne pas aimer l'aimer? »

On le voit, il est plus difficile qu'on ne croit de ne pas être sensé. Et nous ne sommes jamais sûrs d'être protégés par un garde-fou.

J'ai écrit une page entière de ce genre d'exercices, mais il me paraît inopportun d'en citer davantage ici. Car assez est déjà plus qu'assez pour cette sorte de jonglerie avec les mots.

J'AI ÉTUDIÉ un grand nombre de feuilles de cette forêt de mots, m'égarant dans leur épaisseur, perdant non seulement mon chemin mais le sien. Peut-être existe-t-il à travers cette forêt, des indications et des sentiers qu'il ne m'a pas été donné de découvrir, aussi préférais-je demeurer sur la lisière et chercher des fleurs sauvages dans l'herbe. Que les hommes-liges de Gertrude pénètrent ses mystères. Leur courage s'adresse à des explorateurs plus hardis que je ne le fus.

Pénétrez dans ces bois enchantés si vous l'osez.
(Meredith.)

Alice Toklas m'ayant enjoint, à sa manière douce et persuasive, de cesser de battre les buissons autour du sujet pour n'en ramasser que tels fruits qui en

tomberaient, j'ai lu attentivement dans ce livre d'inédits *Mieux que Melanchta,* que j'ai préfacé : *Nelly et
Lilly vous aimaient-elles?* bien que je n'aie pas très
bien compris si elles l'aimaient ou non, les chances
étant à deux contre un, qu'elles ne l'aimassent pas.

J'aime ce genre de romans, mais cela doit tenir
à ce que je n'aime pas les romans. Celui-là ne contient
rien des habituels ou inhabituels sujets, intrigues,
rapports ou conclusions, ni les approches d'une fin
plus ou moins fictive. Certains mots faisant office de
phrases éclairent la route, et par des voies insolites
mènent à des conclusions laissées au choix du lecteur
et suffisamment interchangeables pour s'adapter à
plus d'un cas, à plus d'une histoire d'amour, et à
plus d'un mariage n'aboutissant à aucune conclusion.
S'il existe un point de repère, c'est à nous de le
trouver. Le point de repère c'est peut-être vous. Nous
sommes dans la situation du « voyeur » indiscret
devant une situation dont il ignore tout. Cette discrétion nous épargne du moins l'embarrassante compli-
cité qui a fait de nous trop souvent les témoins de
scènes d'amour dans un livre, une pièce, un film. Et
surtout les films où les refoulés nourrissent leur avi-
dité, du rapprochement du héros et de l'héroïne à
l'instant où ils s'unissent en un baiser inévitable et
prolongé (dont la conclusion naturelle est l'achemi-
nement du couple vers un lit).

Les sujets de ces histoires (rassemblées dans ce

même livre d'inédits, qui m'a été confié) sont plaisamment différents. Par exemple dans *Un troisième,* ce doit être très intéressant pour les trois personnes, dans la mesure où aucune des trois ne reste la troisième.

De même dans *Une description de tous les incidents que j'ai observés pendant mon voyage et à mon retour,* elle se pose la question de savoir « si l'on reçoit plus de lettres chez soi ou à l'étranger. Question déterminante pour décider si l'on doit ou non voyager ».

Le Portrait de Miss Cruttwell est peint d'après nature, mais traité de telle manière que personne ne peut la reconnaître, pas même Miss Cruttwell.

Dans *Non,* si « Oui sied à un très jeune homme », « non » devrait être destiné à un homme vieux et sage.

L'Envers d'un roman policier. Si le meilleur des romans policiers est celui où le mystère demeure entier, et où le crime n'est jamais découvert, celui-ci surclasse le meilleur.

Dans *Une phrase,* avec quelle habileté l'auteur a imité le caquetage d'un couple âgé parlant, parlant beaucoup, parlant beaucoup trop. Je cite : « Elle n'avait pas de mauvaise intention, mais l'amour de parler est si puissant en elle, que je me vois dans l'obligation d'y mettre obstacle chaque fois que je le peux. » « Un petit exemple amenuise la chose et la colore vivement; la colore vivement en blanc. »

Ce que dit *Une phrase* a autant de rapport avec le langage que le caquet d'un perroquet essayant pour la première fois de vocaliser les fragments d'une conversation, qu'il vient tout juste de surprendre.

Il est évident que, dans *Une histoire de n'avoir pas à maintes reprises continué à être amis,* cette amitié a cessé pour des raisons discernées déjà dès le début.

D'autres histoires sont tellement moins intelligibles que je n'ai pu y comprendre goutte, tout en percevant que quelque chose d'analogue à la formation embryonnaire de la vie, s'agite en leur centre.

Et je répète que j'ai trouvé maints trésors dans cette version de *Aussi bien que Melanchta,* comme si Melanchta elle-même avait fui pour éviter de se donner une rivale, mais non sans laisser après elle sa cassette de bijoux contenant des gemmes telles que... Mais ces gemmes, je dois, comme pour le reste, laisser aux lecteurs le soin de les découvrir, en m'excusant de les avoir retenus — si je les ai retenus — aussi longtemps.

Traduit de l'anglais.

Quelques traits
de Harold Acton

Harold Acton fut une des premières personnes à gravir notre colline au-dessus de Florence après « les hostilités ». Portant encore son uniforme de la Royal Air Force, il inclina sa haute taille devant nous. Sa voix bien timbrée, ses yeux noirs aux regards d'une brève intensité (car il ne renonçait jamais à son sourire ni à ses manières de mandarin), m'impression- nèrent plus qu'autrefois, sans doute parce que j'avais plus de loisir pour l'observer.

La menace de cette guerre le trouva professeur de littérature anglaise à Pékin. Si la plupart des voyageurs pillent et passent, Acton, lui, se fixa pendant des années dans ce lieu de prédilection, où il venait de traduire et de publier un livre contenant les poèmes d'un groupe de jeunes Chinois. De la poésie moderne d'Occident, on connaît ses excellentes traductions de

Mallarmé, Supervielle et quelques autres. Il passait ainsi à la nouvelle poésie chinoise.

Enfin libéré, après cinq années de service commandé, et rendu à la joie et aux dangers d'une vie indépendante, allait-il redevenir son propre esclave?

Livré à lui-même, n'avait-il pas déjà laissé un rein aux Indes et perdu ses cheveux en Chine?

Sachant mieux s'occuper d'autrui que de lui, il était généralement à l'antipode de l'Angleterre quand ses livres y paraissaient. Démuni au point de n'avoir aucun exemplaire de ses œuvres, il dut, pour me les prêter, emprunter ses propres volumes à la bibliothèque de sa mère, la si petite et sympathique Mrs. Acton.

De mère américaine et de père anglais et catholique, ce fils hérita à la fois des styles britannique et latin, heureux mélange qui valut à l'Angleterre le génie de Sir Thomas Browne et *The Rise and Fall of the Roman Empire* de Gibbon (apparenté aux Acton). Et combien d'autres écrivains sont issus de cette union anglo-latine!

A peine de retour au palazzo familial, ce « Childe Harold », ce fils prodige se mit à esquisser des mouvements d'hirondelle en chambre, à la recherche d'une nouvelle échappée.

Pendant une de ses précédentes évasions du toit paternel, Acton, dans un de ses poèmes, participa à cette sorte d'envoûtement que Rimbaud fit subir à l'auteur de *Sagesse,* à ce Verlaine qui :

poursuit l'ange aux yeux innocents
intoxiqué par ses blasphèmes,
poursuit, et ne comprend qu'à moitié cet enfant
rebelle et violent « mais qu'il aime et qui l'aime ».

Puis, se retrempant dans la pureté païenne — d'avant « le vice » que nos pauvres vertus ont inventé — il s'inspira de la passion d'un demi-dieu à qui l'on vint ravir sa proie : cet Hercule à la recherche éperdue d'Hylas, ce berger entraîné sous les eaux par les naïades.

Je suppose que si Harold Acton fut tenté de renouveler ces légendes, c'est qu'impressionné par des mythes grecs, il en avait gardé l'empreinte, comme il garde celle de la bienséance anglaise, au point de ne pas admettre que l'on prononce le mot « je ». Et c'est sans doute pour ne pas être pris en flagrant délit avec lui-même que ce poète se communique à nous à travers ces personnages fabuleux, et à la troisième personne. D'ailleurs, il avoue :

Long lost in Hellas we have strayed
Seeking our other selves.

... Longtemps dans l'Hellade égarés
A la recherche d'autres nous-mêmes...

Puis, s'écartant de ces « autres nous-mêmes », et après un dernier bain irrésistible avec Narcisse, il les oppose à leurs contraires. Et, sur un sujet d'actualité : le roi Midas, il suit le sort tragi-comique de ce millionnaire caduc qui, paralysé par sa richesse, ne put quitter son talon d'or. Ce roi de l'or flétrit tout sur son passage :

> He scoops autumnal hollows where he passes,
> His scandal-print upon the fretted grasses,
> The foliage yellow or the boughs are bare —
> As if the breath of Autumn had been there!

> Sous bois il creuse un vide automnal où il passe,
> Sa sandale s'imprime, à l'herbe mise à plat,
> Le feuillage jaunit, un rameau nu se casse —
> Comme si tout l'automne en sifflant vint par là.

Même ses poèmes sérieux sont amusants. Je voudrais dresser une liste de poètes ennuyeux et de poètes amusants. J'inscris du côté des poètes amusants : Chaucer, Shakespeare, Villon, Pope, La Fontaine, Musset, Lord Byron, Verlaine, Apollinaire et Max Jacob, sans compter ceux ou celles qui sont amusants sans s'en douter !

Occupons-nous plutôt de notre auteur présent, si distrayant qu'il me distrait de lui. Après avoir écrit dans *The Candle* à Eton, il édita, à Oxford, une revue *Oxford Poetry,* en compagnie d'Evelyn Waugh qui, lui, suivit comme on le sait, une tout autre voie.

Harold Acton fit éditer son premier livre *Aquarium* chez Duckworth et, en même temps, grâce à son initiative amicale, parut chez le même éditeur le premier livre d'Edith Sitwell.

Un autre livre d'Acton, *This Chaos,* fut publié par *The Hours Press,* rue Guénégaud, à Paris, sous la direction de Nancy Cunard, simultanément avec un livre de vers de cette chevaleresque beauté.

En lisant ses *Five Saints and an Appendix,* je remarque que ce poète, Harold Acton, n'a guère plus de piété que Chaucer. Son volume sur les derniers des Médicis[1], sans intention impie, prouve que la bigoterie de Cosme III fut plus néfaste à son peuple que les débauches du réprouvé Gastone. Et qui n'aimerait mieux avoir affaire aux *ruspanti* du fils plutôt qu'aux inquisiteurs du père? Notre historien attentif, habile, érudit, et fort bien documenté, relate dans un style aussi florentin que son sujet, la vie de l'un et de l'autre de ces derniers Médicis. Continuant ses écrits historiques, il a publié depuis *Les Bourbons de Naples*[2].

Quoique son ancêtre John Acton ait joué un rôle prépondérant en faveur des Bourbons de Naples — où il occupa le poste de Ministre des Affaires étran-

1. *The last of the Medici,* publié à Londres, 1931.
2. Édité chez Methuen.

gères —, Harold Acton ne semble pas avoir pris parti
pour quoi que ce soit, — à l'opposé de Shelley, Byron,
Lamartine, Hugo, Whitman ou T.S. Eliot.

Acton est évidemment un poète sans message. Son
vague à l'âme s'accommode de tous les sujets.

Il est à remarquer que cette *leisurely* classe d'Anglais, malgré son oisiveté affairée entre les champs de
courses et de golf, son House of Lords et Harlots
House, ses *drinks* et ses *drugs,* ses *sollicitors* et ses
oversees, ses *week-ends* et ses *garden-parties,* s'incline
parfois, comme au temps de la *Fairy-Queen,* vers la
poésie. Et cela n'est pas sans importance, car il n'est
que la poésie pour fixer et garder la quintessence des
êtres et d'une époque.

Pour revenir à notre « poète errant », il n'a qu'un
pied dans notre monde — l'autre étant toujours prêt
à parcourir l'univers.

De l'hôtel Scribe à Paris, qui fut son dernier poste,
il me rapporta à Florence le ton de la capitale après
la Libération. Il conserve, des séjours prolongés qu'il
y fit, bien des souvenirs émouvants et des appréciations précieuses qu'il a consignés dans son auto-
biographie, *Mémoires d'un Esthète.*

Sa venue à Florence me fut une bonne fortune de
l'esprit, tant il me changeait des dames aquarellistes,
des poétesses orgueilleuses de leurs propres vers, et
des littérateurs retirés sur ces collines pour éviter
toute fâcheuse concurrence.

Bien qu'il se soit penché sur bien des aspects de la vie humaine, sa vie privée nous échappe — peut-être autant qu'à lui-même. On la saisit cependant par fragments et par des demi-aveux sur son existence qui le laisse souvent, malgré ses vagabondages, triste derrière ses vitres :

> *Ma voix faiblit de parler seul à seul...*
> *Las jusqu'aux larmes mais sans larmes...*

Cette voix de solitude qui parle à mi-voix parmi plusieurs poèmes, prouve que ses moments perdus sont peut-être les plus vrais.

Puis, se quittant, pour un de ses personnages d'emprunt :

> *Il descend dans un monde agonisant et peint.*

Et que d'amères rencontres pour celui qui perce à jour les angoisses, les cruautés ou les ridicules de son temps.

Si, de son service à la R.A.F., il ne revient pas tout trempé de sang ou exsangue de servitude — ou comme Patrice de La Tour du Pin qui sent si bien ce que retrouve un enterré :

> *... Jamais le temps ne fut plus tragique*
> *Et jamais on n'avait tant erré de l'esprit,*
> *Et jamais le sang n'a brûlé tant de mains...*

il conclut :

> *Il est plus d'angoisse dans l'air*
> *Que n'en peut supporter la vie.*

ou comme Paul Eluard dans *Charniers :*

> *Le ciel, la terre se limitent*
> *A la destruction de l'homme...*

Si Acton ne rapporte aucun poème épique de cette guerre, voici pourtant qu'une plainte lui échappe :

On nous appelle « héros » lorsque le clairon sonne,
Quand tous nous formions une seule personne...

Puis, dans *Un jour viendra,* il s'apitoie sur les pauvres gens mécanisés par milliers, happés par les usines et par toute cette laideur automatique qui gagne l'univers et à laquelle les fléaux inventés mettront bientôt fin.

> *Se tenir à l'écart? Mais comment? Où?*

Cependant quelque part ne fait-il pas bon vivre ? Et le voilà qui repart, — épuisé de s'être trop prêté à chacun :

Visages qu'il me semble avoir appris par cœur.

Gabriele d'Annunzio

Ses réactions après son accident d'avion (d'après
  Nocturne).

ACCEPTER, avec ce bandage sur les yeux, l'invi-
tation à ne regarder qu'en soi, un soi dépouillé de
toute matérialité?

Ce rendez-vous solitaire, cette rencontre avec lui-
même fut éludée. Enfermés sous ses paupières, « des
visages, des visages, des visages... toutes les passions
de tous les visages courent à travers mon œil blessé ».

« J'entends de nouveau le nom de Patrie et le
même frisson me passe par toutes les moelles. Tu
as donné la prunelle de ton œil droit à celle que tu
aimes, ta prunelle de voyant, ta lumière de poète.
J'ai ce que j'ai donné. »

Sur ce tableau noir imposé, qui se dresse entre lui et sa souffrance, il continue à travers ses visions à rendre à la vie tout ce qu'elle lui avait apporté.

« Je sens l'haleine et la chaleur de mes visions... Le danger opère lyriquement en moi. »

Lui seul pouvait faire revivre ainsi son épopée. Forcé à l'immobilité, il remit tout en mouvement. Allongé, jour après jour, il trace sur ce fond nocturne, non seulement « le passé aussi réel que cette bande qui m'enveloppe », mais ce qui se passe en dessous : la nuit progressive d'une prochaine cécité lui montre ses papillons d'ombre, les fulgurations douloureuses, les éclairs d'un œil qui s'éteint. Puis, devenu borgne, il fixe tout ce que cette rétine détachée avait enregistré; suite d'images à développer, avec combien de patience, dans l'obscurité. Il compose ainsi, avec des milliers d'épreuves arrachées aux ténèbres, son livre vivant : *Nocturne*.

« Rien n'échappe aux yeux sans cesse attentifs que la nature m'a donnés et tout m'est aliment et profit. »

Et encore :

« Je ne me suis jamais épargné, je n'ai jamais demandé à personne de m'épargner. »

Son destin l'a peut-être atteint au point le plus sensible pour que, comme le rossignol aveugle, il puisse encore mieux chanter. « Mon mal est un bien qui ne se connaît pas. »

Parmi tant de vies malingres, ou réticentes, aux

élans avortés, et qui furent indignes même de leur
malheur, comment reprocherait-on à ce beau vivant
sa pleine réussite vitale? Lui qui jeta son gant à la
face de tous les risques, qui empoigna la tête de la
Gorgone pour la fixer bien en face, regarder au fond
de ses yeux aveuglants, chercher, au lieu de se pétri-
fier à son regard, à l'humaniser puis à charmer chacun
de ses serpents en leur donnant des petits noms
— selon son habitude — comme à des bêtes fami-
lières!

Il humanisa même la guerre et, bien au delà de
ses périodes au feu, il ajouta au courage du soldat
toutes les recherches, toutes les endurances du martyr.
Blessé, il fut attentif aux remous d'une douleur qu'il
exalta. Touchant les quatre planches de son lit, il
n'admit de cette mise en bière momentanée que la
mort ou la survivance :

Dans une nuit d'astre mort...
Mes mains ne sont plus que des formes de ma
                                    {spiritualité
Mon esprit est le miroir de tous les mystères.

Mais la douleur revient comme envenimée de
trop d'abandon. Il demanda à la musique de le faire
« pleurer encore des larmes d'âme ». Puis, reprenant
corps après combien de mois, il va descendre au
jardin : « Je suis un convalescent en danger. Je vais
passer le seuil si longtemps défendu. J'entends le

chant des grillons, j'entends la basse mélodie nocturne. »

O mère, de quelle obscurité dois-je renaître?
Eloigne de moi la pitié de qui m'aime et l'amour de
{qui me plaint.

Et il demande : « Sur quel calvaire est aujourd'hui sacrifié le Fils de l'Homme? »

Hier ce fut lui, mêlé aux autres; il devint ces autres et fut blessé de chacune de leurs blessures; même il mourut de leur mort, tant ses frères d'armes lui étaient proches. Est-ce lui ou l'un d'eux qui fut ainsi atteint? « L'air redevient de cristal glacé sous le diamant aigu de la rapidité. Derrière le canon de l'arme ennemie qui m'envoie la première rafale, je distingue le blanc atroce d'un œil. » Et « sur les ailes intactes, le pilote héroïque rapporte à la patrie le corps exsangue du poète sacrifié ».

Comme ceux qui vont mourir noyés, il revoit merveilleusement toute sa vie passée. Il raconte, il raconte... Que ne raconte-t-il pas dans ce délire lyrique qui le tient à vif au-dessus d'une mort désirée : « O ma sœur, pourquoi deux fois m'as-tu déçu? »

Dans ce lyrisme, qui est comme son langage naturel, son parler familier, le revoici enfant dans l'écurie de Pescara, montant *Aquilino*. « Il me plaisait de chevaucher, en rêve, sans bouger. Je fermais les yeux, la porte s'ouvrait sur la lisière de la forêt... La nuit venait... On ne voyait plus la fin du sentier. »

Cette chevauchée dannunzienne, fut-elle vraie ou imaginaire? Si chez lui le vrai semble souvent faux et le faux semble vrai, qu'importe? Mais qu'avait-il besoin d'inventer dans une vie si pleine de réalisations fabuleuses que son imagination ne servait qu'à refléter? Nous doutons à peine un instant qu'il fit tout ce qu'il désirait faire. A d'autres que lui de rêver aux exploits, à lui la bravoure de les accomplir sans hésiter, de leur donner une pleine éclosion. Désirer et réaliser ne faisaient qu'un pour celui qui avait senti que si « le courage vient de la pensée », la pensée éprouvée par le feu de l'action est la mieux trempée.

N'a-t-il pas été le fils, le père, l'amant, le patriote, le guerrier, le poète dans la vie même?

A tout ce qui l'appelait, n'a-t-il pas répondu : « Je viens — qui m'appelle? »

Et ne s'est-il pas donné successivement non seulement à ce qui le tentait mais aussi à ce qui, au fond, le laissait indifférent? Et ne touchait-il les profondeurs que pour être renvoyé à la surface où l'attirait quelque aventure sans lendemain?

« Animateur », en effet, il fut le rayon propice qui fait briller la pierrerie ou le verre coupant du mur qu'il vient d'escalader : il passe du rare à ce qui est sans valeur, — sans autre valeur que de faire jouer ses feux multiples. Il est l'ardeur qu'attend cette femme-là et cette autre, pour se réaliser. Les unes s'éteignent lorsqu'il les quitte, certaines ajoutent une étincelle à leur diadème, d'autres ne brillent que par leurs larmes! Larmes qu'il distille parfois dans son laboratoire, comme cette *Acqua Annunzia* dont il faisait offrande aux nouvelles venues. Trop voluptueux pour s'attarder ou savourer longuement ses conquêtes, il se dépense ailleurs, sans ouïr quelque dernier soupir. Il se sépare avec ou sans peine, ne souffrant aucun accaparement et sacrifiant une noble fin à un commencement sans autre qualité que celle de l'exalter. Il n'a pas de temps pour le bonheur... Homme de proie, non pas, mais d'un appétit tenu en éveil par une recherche perpétuelle. Et ce n'est qu'en forçant ses désirs à se dépasser qu'il les satisfait.

« Pourquoi fuir la jeune femme désarmée, et les roseraies qui sont en elle plus profondes que le jardin d'Aziyeh que jadis tu possédas?... Pourquoi te dérober à toutes ces choses, ô ascète trop vigilant, si seulement ces choses peuvent t'aider à approfondir le mystère que jamais n'éclairèrent tes vertus et tes renoncements? Et comment peux-tu songer à supprimer en toi le plus actif levain lyrique de ta vie intérieure? »

Ne faut-il pas souvent plus de courage pour accepter que pour refuser un don? Et ne peut-on imaginer un supplice contraire à celui de saint Antoine : celui d'approcher, sans tentation, toutes les voluptés offertes?

Pas plus qu'on ne peut demander à un auteur de s'arrêter à son chef-d'œuvre, on ne peut demander à cet amant panthéiste de se limiter, fût-ce à la réalisation la plus complète de lui-même. Disponible, attentif à tout, moins exclusif envers l'œuvre de chair qu'envers l'œuvre à écrire, d'Annunzio laissait pourtant la clef sur la porte jusque dans la solitude de sa retraite.

En héros wagnérien, il abandonne son héroïne sur un sommet encerclé de flammes qu'il a allumées autour d'elle : anneau de feu, gage de fidélité que lui seul peut enfreindre.

Et le lendemain, à l'aube, il remonte sur son cheval : faisant feu des quatre sabots, il repart en chantant, vers d'autres philtres.

Ne se doit-il pas à la continuité de la représentation qu'il donne? et comment exiger d'un tel prodigue moins de prodigalité et autant d'ardeur dans le choix que dans l'ardeur même? Et comment nous empêcher de sentir combien une ardeur aussi constante peut devenir lassante?

Jamais davantage le style ne fut l'homme; ne cherchons ni à les diviser ni à les diminuer : acceptons-les tous deux comme ils se manifestent, et avec reconnaissance.

Même si une expression d'un rare bonheur risque d'être détruite par ce qui suit, au lieu de la laisser triompher seule, d'Annunzio veut triompher d'elle, en ajoutant une autre trouvaille qui ne saurait l'égaler. A lui de porter le poids de sa propre richesse, tandis que notre regard s'arrête à nos préférences et, en pensée, rature le reste; à nous le frein, au poète la course effrénée qui ne sait s'arrêter. Et comment se plaindre de lui, à lui? Autant en vouloir à l'élément Vent parce qu'il accuse les formes, décoiffe ou oblige à ce salut qui emporte le chapeau. Il me plaît, par contraste, que ces arrêts brusques, ces calmes jamais plats, aboutissent à cette surprenante discipline survenue pour purifier l'atmosphère; ces descriptions nettes, prises sur le vif et qui vibrent d'une intensité retenue, — ainsi que ces pages où d'Annunzio se fait le chroniqueur fidèle d'une expédition qui eût pu lui coûter la vie : une pose de mines devant un port ennemi. Supprimant les images pour concentrer l'attention sur le geste à accomplir, il a dû, avec le reste de l'équipage, retenir son souffle, afin que rien ne fût entendu du rivage, et pour n'entendre que ce chuchotement d'ordres de Pierre Orsini qui, l'œil injecté de sang sous la tension de sa responsabilité, exerçait la discipline supérieure du commandement.

Et avec quelle précision ne regarde-t-il pas, pendant son opération chirurgicale, dans le petit miroir rond de l'oculiste son œil perdu, sans pitié pour la dévastation creusée dans son visage par cette longue agonie!

Bien plus tard, avec l'œil qui lui reste, il contemple debout sa fille Renata qui, en ce dimanche de la Résurrection, se repose, après tant d'inquiétudes et de prières dans les églises :

« Elle dort sur son lit de douleur comme dans son berceau d'innocence. » Et en regardant la jeune fille, fiancée de l'aviateur tué à son côté, il la revoit enfant, dans ses bras paternels, « âgée de peu de mois, exténuée par la maladie, plus pâle que ses lins, avec, autour des narines, quelque chose de sombre qui m'atterrait. Le médecin était parti, mettant son dernier espoir dans le sommeil comme en un remède divin. Le prodige de la nature se révéla à mon cœur en suspens. Tout à coup, je reconnus le battement des veines qui gonflaient mes bras fatigués — la plus légère défaillance pouvait interrompre le sommeil miraculeux —. J'acceptai le supplice. Je continuai à marcher de mon pas silencieux, portant la vie de ma vie. Toute mon âme puissante était tendue, à raidir mes bras débiles. »

N'a-t-il pas, dans cette seule nuit, éprouvé toute une vie de tendresse paternelle? L'amour se mesure-t-il sur le temps ou sur l'intensité? Est-ce sa durée ou la qualité de son feu qui compte?

Son inconstance, sa diversité sans préméditation, le sauvèrent de la vie en commun où, sans se quitter, on se prend bien davantage — avec tout ce qui fut la raison d'être ensemble —. Pour un tel artiste, le dieu ailé fut moins destructeur que ne l'eussent été les dieux du foyer.

Il répète son leitmotiv : « Je viens — qui m'appelle? » et ce fut la guerre...

Le voici appelé à revivre des premières impressions : « J'étais vigilant et attentif à mon désir. J'étais ce que je suis quand ma nature et ma culture, ma sensibilité et mon intelligence cessent de lutter et se concilient complètement... Je n'étais plus qu'un seul sens. »

« J'applique mes lèvres contre l'épée dégainée. Je ne trouve point qu'elle est froide, parce que mes lèvres n'ont plus de sang, tout mon sang brûle dans mon cœur... Le nouveau silence du peuple est un tourbillon qui m'attire et me roule, comme un souffle qui aspire et détruit ma vie. Je jette ma vie, j'abandonne mon âme au délire. »

Il crée ses Arditi, il reprend ce qu'on veut lui refuser. « Nous n'avons désormais d'autre valeur que celle de notre sang à verser, nous ne pouvons être mesurés qu'au niveau du sol conquis — que notre Dieu nous concède de nous retrouver, ou vivants ou morts, en un lieu de lumière! »

Quel surprenant contraste avec tout cela forme son retour dans la maison familiale, où il est appelé auprès de sa mère mourante! « Mes genoux se rompent et les murs me prennent, m'attachent à eux... Une voix basse me dit : « Elle est là... » Une pauvre,

pauvre chose courbée de misère et de peine, abaissée, humiliée, perdue. Est-ce ma mère?

« Je me traîne à ses pieds, je rampe sur le plancher. Je suis vidé de tout, sauf de terreur. Je regarde ce visage.. Il fallait que le Destin m'aveuglât d'abord... Deux paumes s'abattent sur ma tête, pesantes comme si elles étaient exsangues et inanimées — et la bouche veut dire mon nom, mais elle n'a qu'un faible gémissement. »

Qui de nous a senti avec une participation aussi éloquente non seulement sa vie personnelle, mais le drame collectif de sa ville ainsi menacée :

« Tout à coup le gémissement de la sirène d'alarme déchire le silence. Soudain s'annonce l'incursion des destructeurs ailés. Et voilà que sous la menace la ville entière revit merveilleusement dans ma chair, dans mes os, dans chacune de mes veines. Les coupoles, les campaniles, les portiques, les galeries, les statues sont mes membres — sont ma douleur. Et je me contracte sur mon oreiller, le visage tourné vers le ciel de lumière, ne sachant de quel côté je vais être mutilé. »

En ce moment où l'Italie cherche à reprendre ce que ce Commandante lui avait conquis, j'ai voulu revenir sur cette surprenante petite figure parcheminée et si bien gravée et soulignée par ses propres exigences, telle que Romaine Brooks l'a peinte dans son amer portrait du poète en exil, puis en aviateur vigilant, aux traits prononcés, tel qu'il préside au Vittoriale. Ces deux portraits ne résument-ils pas son évolution?

Là où tant d'auteurs, d'une délicatesse exténuée ou doués d'une pernicieuse vitalité dépassant leur talent, ont failli, d'Annunzio sut déployer un dynamisme égal à son génie [1].

Le poète, qui fit un séjour en France durant son exil, s'y sentit dépaysé : le ton de Paris lui échappait autant que l'esprit gaulois. L'emphase avec laquelle il rebaptisait chaque femme admirée, allant de la Reine de Saba à Pulcinella, prêtait à sourire, car ces Parisiennes, habituées aux diminutifs de Popotte ou de Zizi, ne se retrouvaient guère sous ces noms inventés ou trop glorieux! Cet amplificateur de toutes choses ne supportait ni la familiarité ni le dénigrement, contraires à sa nature, pas plus que les plaisanteries sur l'amour et ses gestes sacrés.

Un soir, après un petit dîner d'intimes chez moi, d'Annunzio, en entendant sonner les cloches de Saint-Germain-des-Prés, se leva comme en service commandé et prit congé sous le fallacieux prétexte d'avoir « à écouter ses cloches de la rue Geoffroy-l'Asnier ».

---

1. Il n'est bien entendu aucunement question de comparer cette réussite supra-littéraire à la hauteur d'un Vigny ou à la piété héroïque d'un Péguy, d'essences trop différentes pour un rapprochement. D'ailleurs la France n'a jamais manqué de ces écrivains héroïques depuis Alain-Fournier jusqu'à Saint-Exupéry.

Avait-il besoin de ces deux sons de cloches pour l'avertir qu'une dame, qui avait le droit d'être impatiente, l'attendait chez lui? Peut-être était-ce sa maîtresse en titre, Mme de G., que je n'avais pas invitée, trouvant que les amants et même les couples mariés sont plus agréables à recevoir séparément. Ils sont d'ailleurs souvent les derniers à découvrir l'avantage de cette séparation.

Il me fut rapporté par une de mes amies, qui avait invité d'Annunzio dans sa loge d'Opéra, qu'après cette longue et épuisante soirée wagnérienne, d'Annunzio lui avait offert le bras pour descendre le grand escalier et que, fléchissant de fatigue, elle l'avait accepté pour l'entendre aussitôt lui murmurer à l'oreille : « Laissez-moi vous enlever pour une folle nuit d'amour! »

Une telle aventure ne pouvait tenter cette amie qui n'avait qu'un désir : rentrer chez elle pour enlever tiare, souliers, robe de gala et corset afin de se détendre et dormir.

D'Annunzio manquait-il à ce point de télépathie? Ou croyait-il pouvoir compter sur un refus ou sur ses propres forces d'animateur infaillible?

Lors de la représentation d'une pièce de d'Annunzio, *le Chèvrefeuille,* j'allai dès l'entracte, dans les coulisses, féliciter l'auteur sur la force de ses images : « L'image, c'est l'émotion du style », me dit-il alors.

J'eus, par la suite, l'agréable surprise de constater

qu'il appréciait, non seulement les louanges, mais la drôlerie d'une critique : car après avoir exprimé notre admiration à l'interprète de sa pièce, Henriette Roggers, je remarquai, dès qu'il eut tourné le dos : « N'est-ce pas que d'Annunzio ressemble à un petit objet en vieil ivoire poli par tant de mains de femmes ? »

La sensible oreille de l'auteur saisissant ce que je venais de dire à mi-voix, il revint à nous et répéta en riant : « Oui, c'est bien cela, je ressemble à un petit objet de vieil ivoire. » Le reste de ma phrase, ne l'entendit-il pas ?

On ne le prit même pas au sérieux lorsqu'il promit que l'Italie serait notre alliée dans la guerre qui venait de se déclencher. Il tint cependant parole : prophète dans son pays, il galvanisa ses compatriotes et devint le poète de l'action.

C'est ainsi que, par ses exploits autant que par ses amours, il atteignit, de conquête en conquête, à une gloire qui dépassa toutes les prévisions, même les siennes. Puis, retiré dans sa villa de Gardone, il reprit son métier d'écrivain et continua d'enrichir sa langue natale de mots nouveaux et des ressources inépuisables de son esprit érudit et aventureux.

Sa mort, qu'il voulut surnaturelle, a, par sa simple grandeur, dépassé toute son ambition : il mourut à sa table de travail.

Au terme de cet aperçu sommaire — qui fait suite à tant d'essais émanant de biographes et de commentateurs plus qualifiés que je ne le suis parce qu'ils ont mieux étudié et connu Gabriele d'Annunzio que je n'en ai eu moi-même le loisir, — je tiens à faire amende honorable de mon aveuglement passé et des quelques flèches que je lui ai décochées dans mes *Aventures de l'Esprit* : au-delà des apparences, que je ne crois pas avoir trahies, je n'ai pas su découvrir celui que ces apparences nous cachaient.

Son livre *Nocturne* m'a révélé bien tard combien il sut se saisir de l'essentiel de la vie — à travers tant d'images et tant de transparences qui trompent sur sa profondeur. Il vivait dans une atmosphère de passion qui était son élément, ce qui ne l'empêchait pas d'observer l'amour, ses états de grâce et de disgrâce.

Et si, à présent, je ne résiste plus à certaines de ses emphases, c'est qu'elles sont toujours musicales et que ce lyrisme l'exprime tout entier. Au faîte de la puissance lyrique, il y a le poète-héros.

Rabindranath Tagore

récitant ses vers dans mon salon

Visage de suavité
Peau dorée, pommettes souriantes
Contre le gris de la barbe et des cheveux ondés;
— Tout vêtu selon toi-même
D'étoffes souples qui portent tes couleurs :
Gris clair et ombre d'or
D'où tes mains s'échappent —
Tu t'élèves parmi nous de toute ta grandeur;
Et ta tête se dandine selon les inflexions de ta parole
Qui devient chant;
Et voici que ta voix danse, dessine des arabesques
Sur un tissu de silence et d'automne.
Nous sommes englués d'un miel nouveau;
Au-delà de la compréhension des mots, nous suivons
                                        {des rythmes
Que ponctue ta main gauche aux doigts précis,

Tandis que ta main droite saisit les cordes de l'inspi-
{*ration;*
Et tes Indes sont plus à nous qu'au voyageur
Car un être tel que toi contient son univers,
Ses chariots, ses couronnes, ses jeunes filles et ses dieux,
Et l'avenir semble déjà une œuvre de toi.

DEUXIÈME PARTIE

Max Jacob

TâCHER DE DIRE, moi aussi, pourquoi j'aime Max Jacob?

D'abord pour ses contrastes : parce que son regard fuit comme une truite, et sait regarder le soleil.

Pour ses poèmes, où il offre à Dieu, son suprême ami, toute son intimité.

A cause de sa susceptibilité, toujours livrée à l'offense, peau neuve allant au-devant de chaque blessure.

Même la possibilité d'une intention cruelle peut le faire souffrir. Il devine les pensées et y répond en rougissant; on peut lui faire autant de plaisir que de peine : ce qui est doublement généreux de sa part.

Il est attentif au point d'éveiller en nous des subtilités semblables aux siennes, et l'on parle, selon lui, afin de mieux l'écouter.

Et quand il vient me voir rue Jacob, ma rue a l'air de porter son nom pour l'accueillir.

GRÂCE A LA RICHESSE de mon désordre, je viens de retrouver ces cinq lettres de Max Jacob qui, par conséquent, ne figurent pas dans mes *Aventures de l'Esprit*.

La première doit se situer juste avant l'accident d'auto dont il fut victime lors d'une promenade en Bretagne avec un camarade.

La seconde et la troisième, écrites de son lit d'infirme, montrent ses préoccupations spirituelles et matérielles, car il fut grièvement blessé et alité pendant tout le reste de ses vacances. Ce n'est qu'en revenant en convalescence à Paris qu'il put réclamer, à la compagnie d'assurance qui s'était montrée peu libérale, une indemnité en rapport avec les dommages subis. Afin d'appuyer sa demande et connaissant la mère du jeune homme qui dirigeait l'agence récalcitrante, j'accompagnai Max Jacob jusqu'au bureau de celle-ci. Là, nous nous trouvâmes devant une de ces jeunesses impénétrables à la voix métallique qui, au lieu de s'asseoir derrière sa table, se tint rigide en nous laissant debout tels des mendiants que l'on désire éconduire. Nous partîmes déconcertés par un tel abus de pouvoir, humiliés de nous être adressés à un tel personnage et livrés à son refus.

Pour compenser cette démarche à laquelle je m'étais si inutilement associée, je redoublai de sollicitude et d'attentions envers Max. Afin que ces attentions ne parussent pas découler de cette mésaventure, c'est par Romaine que je fis acheter certaines de ses gouaches.

Max, un jour, bien qu'il lût couramment nos destinées dans les étoiles, me demanda de le conduire chez une voyante. Au lieu de faire une promenade au Bois, nous allâmes vers un quartier en démolition et découvrîmes avec difficulté la porte recherchée, au rez-de-chaussée d'un immeuble en ruine. Après avoir à plusieurs reprises frappé en vain à cette porte, nous allions repartir découragés, lorsqu'on l'entrouvrit et une vieille femme en haillons, sur la défensive, nous demanda d'un ton hargneux « pourquoi nous étions venus déranger ses rhumatismes ».

Max s'excusa de sa voix la plus courtoise : « Madame, le mal est fait, et puisque vous vous êtes tout de même dérangée, j'espère que votre vieux client, Max Jacob, que voici, obtiendra de vous la grâce d'une audience.

— Eh bien, répondit la sorcière, bien que je ne pratique plus depuis la crise qui m'a laissée sur le carrelage, je veux bien faire une exception pour vous à présent que je vous remets.

Elle avançait clopin-clopant, nous entrâmes à sa suite et je m'assis discrètement dans la première pièce, voisine de celle où avait lieu la séance. Comme seul un rideau crasseux m'en séparait, je ne pus m'empêcher d'entendre cette consultation dont beaucoup de phrases m'échappaient; je perçus distinctement la voix anxieuse de Max qui, sur un registre élevé, expliquait à cette loque humaine que, depuis son accident, sa mémoire lui faisait parfois défaut; il lui demandait donc si elle estimait qu'en général, ses facultés mentales baissaient.

La réponse de la vieille, si réponse il y eut, se confondit avec le bruit de leurs chaises. A la sortie de cet antre, mon ami Max n'avait pas l'air pleinement rassuré. J'essayai de le remonter en lui disant combien j'avais trouvé brillante et pleine de trouvailles sa conférence chez M. qu'il m'avait annoncée dans le P. S. de sa dernière lettre.

Si par la suite, à cause de son éloignement de Paris, je l'ai un peu perdu de vue, combien je le regrette car personne ne m'amusait ni ne m'attendrissait autant que lui, avec sa tête volontaire, et toutes ses illusions et faiblesses alliées à la puissante originalité d'un esprit irremplaçable.

MAX JACOB

Lettres de Max Jacob à Miss Barney.

Ploare-Douarnenez
chez Mme Mescam
Maison Kerelio
Finistère

Chère amie,

Je vous ai envoyé un petit « colloque » que vous n'avez sûrement pas reçu car même si vous ne l'aviez pas agréé comme plaisir vous l'auriez fait comme intention. (Ceci est assez mal dit mais ce qui se fait comprendre se suffit.) Je vis ici en bande : les gens de mon espèce sont des cigognes et les cigognes, pour peu que je sois naturaliste, vivent ainsi. Pour peu que je sois allégoriste, je sais que les cigognes sont des oiseaux de bonheur. Peut-être sommes-nous heureux — je ne suis jamais sûr de l'être. La pluie et les horreurs bretonnes! Pas d'autre bain que les plages — c'est trop et pas assez. Quimper possède un établissement de granit neuf adjacent à une Postes et Télégraphes plus neuve encore. Une magnifique porte. Une main de cuivre y frappe sous la main de l'homme. Une paysanne très humble apparaît :

— Qu'est-ce que vous auriez désiré? (Accent paisible, onctueux et lent.)

— Un bain, Madame.

Aujourd'hui la moindre mendiante exige le « Madame ». Autrefois on disait « Marie » ou « Catherine » à une bonne : aujourd'hui on dit « Madame » et on a raison puisque les distinctions d'ordre spirituel n'ont plus de valeur que pour nous et que nous ne serions pas « nous » si tout le monde était ce que nous sommes. Dans l'ignorance que nous avons de la qualité intime d'une « bonne » des bains municipaux, disons-lui « Madame ». Il est vrai que Jésus-Christ disait « Femme » à sa mère mais Elle le connaissait, Il la connaissait et l'honneur était de trop entre eux.

— Un bain, Madame!

— Il n'y a pas de bain ici. Il n'y a pas de baignoire. Il y a une baignoire, mais c'est pour les malades. *Il n'y a pas eu de place pour les baignoires.*

La « dame » qui parlait ainsi me recevait dans une immense cuisine où l'on aurait pu mettre cent baignoires.

— Vous êtes bien logée, Madame.

— Oh! Ce n'est que la cuisine! J'ai une grande pièce encore plus grande qu'ici.

J'obtins une pauvre cabine de la grandeur d'un quart de cabine de plage et une pauvre douche évidemment créée pour les ouvriers d'une ville où il n'y a pas d'ouvriers. Je vous laisse méditer sur ce fait : j'y vois les ordres d'un gouvernement à tendances

collectivistes; j'y vois la condamnation du régime col-
lectiviste qui ne s'adaptera jamais à rien d'humain.
Le collectivisme interprété par la bretonnerie bourgeoise. Je vous fais grâce des détails comiques, ayant
l'intention d'écrire une lettre sérieuse, grave et pensée.

Au revoir! Cent mille amitiés les unes respec-
tueuses et chargées d'hommages, les autres très cordia-
lement affectueuses,

Max Jacob.

Quimper, le lit de l'infirme
7 Oct. 29

Chère amie,

Le cauchemar est une réalité cauchemardante. Merci
de votre étincelante lettre. Que je voudrais savoir...
mais tout se tient et les cauchemars des membres
montent jusqu'à l'esprit. Dieu n'est pas seul. Pourquoi? parce que la solitude suppose la dimension.
Or, la dimension a été inventée par la fourmi-homme
à la mesure de sa personne. Dieu a une personne
mais n'a pas d'illusion comme il n'y a d'illusion
dimension pour Lui il n'y a pas d'espace et il est
avec chacun de nous et avec personne. Comme ça doit
être curieux, cette sensation de tête d'épingle et de
non-espace. Enfin... nous verrons ça!

Je lis deux ou trois livres par jour et par nuit

sans fruit car je ne retiens rien. Je pense souvent à vous et vous baise les mains respectueusement et affectueusement,

Max Jacob.

Quimper le 19 Octobre 29

Bonne amie,

Ni pied, ni patte! Ce lit, ce lys est un tombeau! Quel wagon voudrait du Lazare que voici? Allez, Muse (c'est vous) balancée par les flots jusqu'à ce nouveau signe du Zodiaque qu'est New York la nuit. J'ai dit « Muse » pour « Ange » et vous êtes l'un et l'autre avec, en plus, ce nimbe qui n'appartient qu'aux Saints et qu'on n'a pas pu refuser à Votre Grâce.

Je suis votre ami le plus respectueusement dévoué,

Max Jacob.

17 rue St-Romain VI
le 20 Mars 36

Chère voisine de gauche,

Soyez toujours à ma gauche puisque c'est à la fois le côté du cœur et la droite de Dieu.

C'est une humble paysanne bretonne, brusquement enrichie par la guerre, qui a dit au marchand de pianos de la ville voisine : « Vas me mettrez deux! » De sorte qu'il y a dans son obscure chaumière perdue dans les landes, deux pianos, alors qu'un seul y eût déjà été surprenant.

Les trois pianos sous la pluie dans la rue s'adossent à la boutique d'une marchande de couronnes mortuaires. Non! hélas! la nièce n'a jamais trouvé le piano digne de ses gammes et de ses doigts. Le loquet de porte de l'accordeur n'a servi que d'arme à celui-ci dans sa lutte contre son concurrent... La nièce a perdu ses doigts pendant les vacances; d'ailleurs, elle n'a même pas pensé au piano à cause d'un flirt avec le fils du marchand d'objets religieux. Quand elle est revenue chez sa mère, celle-ci a été assez furieuse pour se brouiller avec sa sœur Lætitia, brouille qui n'a fini que par la mort de l'une d'elles. La nièce a retrouvé ses doigts jusqu'à son mariage qui les lui a fait perdre définitivement, son mari ayant déclaré : « Je n'aime pas tant que ça de musique! »

Elle existe toujours et quand les enfants tournent le doigt de l'arrosoir à radio, elle dit, en raccommodant un fond de pantalon, « c'était bien la peine!... ». Ce « c'était bien la peine » est plein de mystère : il s'adresse à la radio et à son passé de gammes au métronome.

Oui! vivent le printemps, le bois de Boulogne, les merles et les bourgeons éclatés. Vive surtout l'esprit et la beauté qui sont « vous ».

Je baise vos mains,

Max Jacob.

A partir de demain samedi, je lirai tous les soirs différents poèmes et proses aux Noctambules, 9, rue Champollion. Je voudrais vous envoyer des places, je n'en ai pas. Tel que vous me voyez, je suis en train d'apprendre à chanter pour mes débuts dans la chanson : malheureusement, ça ne va pas du tout.

St Benoit sur Loire, Loiret
31 Mai 39

Amie unique et tant précieuse,

Quel enchantement que vos enchantements et vos désenchantements. Voici donc votre présence assurée ici! Votre présence à jamais! Votre présence chez moi, votre présence elle-même, dans ma solitude si réelle malgré tant de visites déplorables, votre présence consolante de tous et du reste.

Je voudrais avoir l'esprit moins lourd pour parler de ce livre, il faudrait être Ariel. La beauté de l'esprit c'est de surmonter la vérité après l'avoir découverte dans l'océan agité des hommes, la surmonter pour la faire virer comme une étincelante toupie. J'aime, d'un livre récent (*Barrières,* par Marie Amon), que la pauvre héroïne éveillée à l'intellectualisme ne sût plus dire que la vérité mais la vérité toute nue, grotesque. Juste le contraire de la Beauté, n'est-ce pas? Or, la vérité n'est bonne à dire qu'avec le recul, avec la conscience de ses degrés. J'aime vos nuances de conviction : vos boutades, et aussi vos accents pathétiques mêlés aux axiomes surprenants. (Vous êtes un inventeur.) Parfois la vérité, venue de vous, prend aux entrailles — « Somnambule dans sa propre aventure » mais parfois elle résonne comme un coup de gong solennel : on entend vraiment le coup de gong — SA FRIVOLITÉ ÉPOUVANTABLE DE SORCIÈRE. Ah! quel mot dantesque! On dirait en cinq mots toute la parisiennerie, en saints mots. Je voudrais savoir toutes les lignes du livre par cœur pour me les citer, me les réciter tout le temps. Je sais déjà le cygne :

> *Ce cygne, joint à son reflet*
> *forme, seul, un couple complet.*

Je ne sais pas... Je ne sais pas dire toutes mes impressions de votre livre. Je suis un tautologue et j'en ai honte aujourd'hui devant vous.

On s'aperçoit de ce que devrait être le style des autres écrivains : le gant de caoutchouc! si rare! Chez vous le gant de caoutchouc est involontaire et constant, et comme votre pensée est intense, elle ne trouve pour s'exprimer que le poème — ou... *le puits.* De la sorte vous aboutissez au Haï-Kaï ou au sublime. Vous illustrez une définition de la poésie : la poésie est l'excès de la pensée. Ou plutôt une définition du lyrisme. Votre livre est la démarche du lyrisme qui parfois se pose, se repose, puis s'élève sans s'en douter. Et je ne pense pas du tout aux poèmes en vers de ce livre qui ne sont pas la poésie de ce livre mais en sont, chose curieuse, les endroits les plus définissants grâce à la rime dont vous vous servez comme d'un adjuvant pour vous faire complètement comprendre : « crime, escrime, estime » (page 186).

Et je ne sais, tellement tu me troubles
par où finit, commence, ou se fait double..., etc.

Ce double et ce trouble s'enrichissent mutuellement, s'approfondissement par le son et par l'accouplement.

Les poètes qui ne pensent pas ont inventé que la poésie est un chant sur un lieu commun, et cela pour se justifier mais vous, enfin, vous rétablissez cette vérité : la poésie est l'excédent de la pensée quand elle vole ou cette pensée même.

Je ne peux pas me supporter déguisé en critique. Je n'ai jamais su qu'aimer mes amis ou leurs œuvres et quel bonheur de pouvoir aimer à la fois les œuvres et leur auteur.

C'est ce qui m'arrive devant vous et ce que je vous dis avec le plus grand et le plus agréable respect, plus qu'admiratif : émerveillé !

Max Jacob.

Notes sur Paul Léautaud

En allant a la vieille maison du *Mercure de France*, 26 rue de Condé, pour consulter Vallette, à l'esprit si précis, assister aux « mardis » bizarres de Rachilde, reconduire Gourmont, ou prendre simplement un livre que j'avais envie de lire, je m'arrêtais parfois à l'entresol où l'on avait installé Léautaud dans un cagibi, entre une table et deux chaises.

Je frappais avec discrétion à sa porte, qu'il ouvrait quelquefois lui-même, mais généralement sans se déranger ou se retourner il disait à tout venant : « Entrez ».

Si je l'apercevais ramassé sur lui-même, tel un ouistiti en cage, je lui communiquais ou ne lui communiquais pas le motif de ma visite, selon l'humeur où je le trouvais. Si dès le seuil j'entendais le grincement de sa plume d'oie, je m'éclipsais aussitôt pour ne pas

interrompre son travail. A d'autres moments il
m'offrait courtoisement de m'asseoir, et me mettait
ainsi à l'aise pour lui parler, le regarder ou l'écouter.
Ce qu'il avait à dire était d'un intérêt imprévu, ponc-
tué de son rire qui fusait alors dans l'intimité et
qui, bien plus tard, devait se répandre et faire partie
de son grand succès à la radio. Succès dû à la présen-
tation et à la collaboration de Robert Mallet.

Après la mort de Remy de Gourmont, je n'allai
plus guère au *Mercure*. Ce n'est que vers 1938 que
j'eus de nouveau à m'y rendre : à la suite de l'accep-
tation de mes *Nouvelles pensées de l'Amazone*.

Duhamel avait succédé à Vallette, et c'est Jacques
Bernard qui s'occupait du détail des publications.
J'avais déjà eu affaire à lui pour une édition de luxe,
illustrée par Rouveyre, des *Lettres intimes à l'Amazone*.

A mon grand regret, et sans doute encore plus
au sien, Léautaud ne faisait plus partie de la rédac-
tion du *Mercure*. Malgré tant de changements,
Rachilde, elle, avait pu conserver son appartement,
ses souris blanches et son jeune ami d'alors : un dan-
seur turc aux yeux verts, au teint basané et qui savait
la rendre malheureuse à souhait.

Durant les restrictions causées par la guerre je
pouvais lui apporter quelques provisions américaines,
qu'elle ne pouvait que partager avec son favori. Favori
apparemment jaloux au point de taillader un portrait

de Rachilde qu'un autre soupirant venait de terminer. Rachilde, sous ses cheveux blancs et avec ses yeux
clairs qui n'y voyaient presque plus, entretint jusqu'à
sa fin de telles passions.

Je n'ai retrouvé Léautaud que vers 1950, lorsque
Rouveyre me fit connaître la belle Florence Gould,
chez qui Léautaud trônait et, ricanant d'insolence,
faisait la joie de ses déjeuners littéraires — où seul
Jouhandeau osait lui tenir tête. Après ces célèbres
déjeuners du jeudi, il se retirait dans un coin du
salon où l'on continuait à l'entourer. Une fois, il fut
isolé de nous par l'ancienne secrétaire de Gide qui
se confia à lui comme à un prêtre dans son confes-
sionnal : il l'écoutait avec attention, sympathie et
hochements de tête approbateurs, car les faits et
méfaits que lui contait cette amoureuse déçue, nour-
rissaient son aversion pour Gide.

Une autre fois, il alla trop loin dans ses sorties
contre cette guerre et ceux qui y participaient, cela
en présence de la jeune épouse d'un général, qui
l'arrêta en lui faisant part de la mort de ses trois
frères au champ d'honneur. Léautaud, resté sensible
sous ses attitudes de moquerie, en eut subitement les
larmes aux yeux!

Florence Gould, avec sa gentillesse et son tact innés,
flattait les penchants de chacun, plaçant souvent
auprès de Léautaud la plus jolie de ses invitées, ce
qui l'incitait, le champagne aidant, à des propos liber-

tins. Ces galanteries ne lui faisaient nullement oublier ses devoirs envers sa guenon, restée à demeure à Fontenay-aux-Roses. C'est pour elle que, retournant à la table, il raflait noix et friandises dont il emplissait ses poches.

Une fois que j'occupais la place à sa droite (lui étant toujours à la droite de Florence), il me parla avec ferveur de l'Angleterre. Il ne la connaissait que par ses écrivains qu'il mettait au-dessus de tous les autres. Son vœu le plus cher : aller au moins une fois là-bas. J'étais prête à l'y conduire et eus du mal à refouler mon élan. J'aurais probablement entrepris ce voyage s'il m'avait acceptée comme guide : et c'est en connaissance de cause que j'aurais endossé cette responsabilité afin de combler son vœu, quitte, par la suite, à être honnie en cas de mésaventure ou de déception.

Il se plaisait surtout auprès de Marie Laurencin, qui, elle, n'écoutait la radio que pour l'entendre. D'autre part, il cultivait des rancunes tenaces, surtout contre son meilleur ami Rouveyre qui, le premier, l'avait révélé au grand public par son livre : *Choix de pages de Paul Léautaud* [1]. Au lieu de lui rester à jamais reconnaissant, il en avait ouvertement voulu à Rouveyre pour une peccadille. Celui-ci ne s'était-il pas taillé un tour de cou dans un métrage d'étoffe

---

1. Par André Rouveyre. Édition du Bélier, Paris.

à carreaux offert à Léautaud par une dame désireuse
de lui voir remplacer le pantalon rapiécé qu'il portait
habituellement? Ce tissu avait été déposé chez Rouveyre qui, connaissant le goût de Léautaud pour les
pantalons étroits, n'avait pas hésité à prélever un
morceau d'étoffe sur l'important métrage. Mais cette
indiscrétion de Rouveyre fâcha Léautaud au point
qu'il rejeta avec mépris le coupon, sous prétexte qu'il
« ne pouvait se servir de tels restes ». Je suppose
qu'il préférait, secrètement, ses guenilles, qui lui
donnaient l'air pittoresque d'un clerc du temps de
Villon.

S'il n'avait tenu qu'à lui, les œuvres retenues pour
l'anthologie *Poètes d'aujourd'hui,* qu'il fit en collaboration avec Van Bever, n'eussent pas dépassé le
volume d'une mince plaquette. Car il détestait tout
ce qui touchait au romantisme. Par ailleurs, son exclu-
sivité admettait (avec peine) Mallarmé, mais non
Valéry ni bien d'autres gloires assurées d'immorta-
lité.

Le style de Rouveyre est un des seuls qui trouva
grâce à ses yeux, car, selon Sainte-Beuve : « Un
membre de l'Académie écrit comme l'on doit écrire.
Un homme d'esprit écrit comme il écrit. »

Dès que le *Journal* de Léautaud parut, je le lus
avec intérêt. Un passage, se rapportant à l'époque où
Marguerite Moreno était l'épouse de Marcel Schwob,
m'étonna. Léautaud, qui vivait dans leur intimité en

guise de secrétaire, accompagnait souvent Moreno dans sa loge au Français. Comme elle changeait librement de costumes devant lui, il eut la naïveté de croire qu'avec plus d'audace, il eût obtenu ses faveurs. Cette méconnaissance des femmes en général, et de Moreno en particulier, prouve combien il pouvait s'illusionner quant à la seule chose qui lui semblait essentielle en amour : « la bagatelle ». Sans doute avait-il trop vécu comme le « petit ami » des copines de sa mère pour comprendre qu'il y a un monde, ou tout au moins un demi-monde, entre les femmes qui sont choisies et celles qui choisissent.

J'ai beaucoup mieux goûté ses appréciations sur tout le reste, surtout sur Gourmont, et lui en ai fait part dans cette lettre :

Cher Paul Léautaud, que votre livre me plaît, ne vous en déplaise! J'y ai trouvé, à part sa sensible probité, bien des points de ralliement : notre amitié pour Gourmont, notre amour des femmes, notre indifférence aux romans (quoique les femmes soient des romans vivants et tâchent de nous y mêler, malgré notre désir de vivre seuls).

Comme dans les livres, même préférés, nous n'aimons que certaines phrases, ainsi dans nos amours il n'y a que certaines heures qui comptent; car la vie en commun c'est n'être ni seul ni ensemble, n'est-ce pas?

Je salue en vous une vie sans concessions et un des rares écrivains qui méritent d'employer le mot « je ».

P. S. La phrase qui suit me prouve combien vous avez refoulé en vous le poète que vous auriez pu être : « L'intelligence ne crée pas, elle se traîne en raisonnements, en analyses et use les jardins où elle rôde. »

Sentir vaut mieux que saisir. J'apprécie aussi la justesse de votre conclusion : « Un écrivain ne vaut que s'il crée une génération, c'est-à-dire s'il crée une façon de sentir et par suite une façon de penser. »

Léautaud me répondit, le dimanche 2 janvier 1955 :

Chère Madame, j'ai bien reçu votre lettre. J'étais en plein travail de 2 heures après-midi à minuit pour le Mercure. Je n'ai pu vous répondre et vous remercier par courrier.

Voilà maintenant que je viens en vain de mettre en ordre mes papiers et chercher votre lettre sans réussir à la retrouver. Je le regrette premièrement pour moi, pour la relire, et acceptez, je vous prie, tous mes hommages.

P. Léautaud.

La guenon de Léautaud, qu'il chérissait depuis vingt-deux ans, venait de mourir. Sa chatte favo-

rite était morte aussi. Avoir surtout aimé les animaux et les perdre, quelle tristesse! Ainsi, les bêtes
font-elles aussi souffrir ceux qui s'y attachent! En
revanche elles sont fidèles (alors que les êtres
humains manquent trop souvent de constance).
Puisse cette compensation avoir été consolante pour
Léautaud.

Il avait sans doute raison de préférer ses bêtes à
la plupart des gens. Aussi, quel déchirement dut-il
ressentir lorsque durant un terrible hiver il se vit
contraint de les quitter pour la confortable maison de
santé du Dr le Savoureux dans la Vallée aux loups,
l'ancienne demeure de Chateaubriand; tout ce qu'il
trouva là-bas le laissa indifférent, tout, sauf le chat
de la maison qui, d'un instinct sûr, vint se blottir dans
ses bras.

Quelle eût été la fin des pauvres bêtes de Léautaud
si, durant le séjour qu'il fit à la Vallée aux loups,
Marie Dormoy — aussi fidèle dans son amour pour
les bêtes que dans son amitié pour les hommes —
n'avait pris soin d'elles.

Léautaud n'est jamais venu chez moi, malgré les
chats sauvages qui rampent à travers mon jardin,
et les portraits et souvenirs de Gourmont qui auraient
dû l'attirer dans mon salon. La dernière fois que je
l'ai vu, c'était à l'Hôtel Meurice, dans l'appartement
où Florence Gould, de passage à Paris, nous rassem-
blait. En attendant que l'on annonçât le déjeuner,

j'étais assise en face de Léautaud qui me demandait avec insistance des nouvelles de Rouveyre — nouvelles qui n'étaient pas bonnes — : « Il va moins bien que vous, en ce moment », lui dis-je, pour le rassurer sur son propre compte.

Lorsque tout le monde se leva pour se mettre à table, une dame trop attentionnée se précipita pour aider Léautaud à quitter son fauteuil. Avec quel geste de rebuffade il la repoussa, en se levant d'un seul sursaut, comme mû par un ressort. Pourtant, à table, il avait un air affaissé de joujou cassé, et la mécanique de son rire fonctionnait à peine. Il ne buvait plus de champagne et n'adresssa pas la parole à sa voisine; il semblait dépourvu d'esprit et de méchanceté : présent, voilà tout, comme le figurant de lui-même.

Il retrouva sa malice ou plutôt la vivacité de ses ripostes quelques jours après : une étudiante étrangère, qui voulait l'inclure dans sa thèse sur le *Mercure de France,* avait sollicité de lui la faveur d'une interview qu'à la prière de Marie Dormoy il lui accorda. Mais elle fit faux bond au rendez-vous, et quand, le lendemain du jour fixé, elle se présenta chez lui en formulant de fallacieuses excuses, il lui referma la porte au nez.

Léautaud s'est tristement mais doucement éteint dans un sommeil sans rêves, et telle est bien la mort qu'il méritait. Il a mérité aussi que, selon sa volonté, fût gravée sur sa tombe cette simple et orgueilleuse inscription :

Paul Léautaud

écrivain français.

André Rouveyre
reflété dans le miroir de l'amitié

Cavalier seul, au beau visage
Défait à peine à force d'âge.
Si, lentement il s'achemine
Avec sa canne, et s'il badine
En se penchant à l'embrasure
Où flamboie une chevelure,
Il ne s'arrête qu'un instant,
Reprend — au lieu de perdre — haleine,
Toujours galant, et presque sage,
Il salue, enfin, en passant
Toute la beauté féminine
(Qu'il détruit dès qu'il la dessine!)
En plein hiver vêtu de laine,
Roux-vert décrit son personnage :
Entre l'amour et l'œuvre écrite
Il n'est plus temps que l'on hésite.

> *Cavalier seul, au beau visage,*
> *Que j'aime toujours davantage!*

...Que j'aime toujours davantage; mais à présent que je suis privée de ce voisin le plus proche, du moins pour tout l'hiver, où il doit séjourner à Barbizon, comment m'en passer?

Quelle tristesse à la tombée du jour de ne plus le voir arriver, déposer sa belle canne à poignée d'ivoire, sa cape et son justaucorps doublé de duvet de cygne, dans le vestibule, avant de me retrouver dans la pénombre de mon salon où, pendant une heure ou deux, nos esprits se rencontrent, se parlent ou se taisent dans la plus fraternelle amitié. Puis, l'obscurité venue, j'allume une lampe pour n'être pas privée de sa fine tête expressive, ni d'apercevoir nos tendres mains unies lorsqu'un accord encore plus parfait nous pousse à cet élan. Point de cloison étanche entre nous depuis des années que nous nous racontons tout ce qui nous passe par la tête, le cœur et les sens. Sens qui l'entraînent plus que moi dans des aventures passionnantes ou décevantes dues à de ces proches étrangères, avec qui l'art de faire l'amour compense mal l'absence de l'amour même.

Mon frère André, ce « libertin raisonneur », est capable cependant d'un amour total et longuement et durement éprouvé — et qui suscita trois romans sur l'évolution de ce sentiment exclusif.

A présent, il lui arrive de soutenir contre moi le plaisir de ces rapprochements passagers qui n'exigent que leur réussite. Tandis que pour moi ce « qu'importe le flacon pourvu qu'on ait l'ivresse » n'importe que si le flacon fait partie intégrante de l'ivresse; et je ne saurais admettre (avec quelques regrettables exceptions) rien de moins. Peut-être, n'étant pas un homme, la qualité m'est nécessaire et tout autant en amour qu'en amitié. Quant à celle qui existe entre nous deux, rien ne saurait la détruire ni l'altérer.

MON « FRÈRE » ANDRÉ,
FIN DÉCEMBRE 1962

N'est-ce pas dans son premier livre, *Souvenirs de mon commerce,* qu'il écrivit : « Mes amis, morts ou vifs c'est tout comme »? C'est peut-être grâce à une réaction semblable, et malgré que l'on me téléphone, m'écrit, et que les journaux l'annoncent, je ne sens pas la mort d'André Rouveyre. D'après le diagnostic que fit jadis Liane de Pougy-Ghika, « Rouveyre avec

coffre basque survivra à ses poumons fragiles ». Je
croyais donc que, presque de mon âge, il ne saurait
me fausser compagnie. Si proche de mon cœur et de
mon esprit depuis une cinquantaine d'années, qu'il
ne soit plus là ne l'empêche pas d'exister. Mais ce
ne sera plus qu'en arrière, et non en avant, que je
pourrai encore le ressaisir.

Cet automne, la dernière fois que je le vis, dans
sa pension à Barbizon, on venait de le réveiller de
sa sieste pour ma visite, et je le trouvai assis au bord
de son divan, les jambes ballantes, mais toujours ses
belles mains intelligentes tendues vers mon arrivée.
Autrefois nous nous étions amusés à l'idée de fonder
un cabinet de consultations à l'enseigne : Spécialistes
en tout; car son adresse en toute chose était inventive.
A présent, assise à côté de lui, il me confia ses craintes
pour l'avenir : « Où déménager lorsqu'il deviendrait
complètement impotent? » La mort s'en est chargée.
Elle choisit rarement aussi bien son heure puisque
Rouveyre, sans s'en douter, mourut dans son sommeil.

L'avant-dernière fois que j'étais allée, avec une amie,
dans sa chambre, il nous avait montré un petit poi-
gnard, acheté jadis chez un antiquaire, et dans le but,
m'avait-il révélé alors, d'en finir à son gré avec la
vie. A présent, après avoir été longtemps invalide,
avait-il perdu la volonté d'user d'un tel geste?

Je le connaissais assez pour savoir qu'il ne se sui-
ciderait jamais pour un amour malheureux, tant il

nous semble qu'une telle peine, en nous libérant, nous grandit. Mais devant une déchéance physique sans issue, ne lui restait-il plus la force de s'en délivrer? Aucun préjugé, religieux ou autre, ne pouvait l'en empêcher. Nous faut-il donc admettre que même Nietzsche et bien d'autres n'ont pu suivre leur propre conseil? Je connaissais même un docteur qui publia *L'Art de mourir,* mais dont il ne fit, que je sache, sur lui-même aucun emploi. Peut-être ceux qui ne cèdent pas à cette tentation ont-ils raison car, pour certains, la mort peut devenir un merveilleux metteur en scène à qui nous devons laisser le soin de faire baisser le rideau.

Pour revenir à notre amitié, elle eut, comme tout sentiment, ses hauts et ses bas, ses heures de calme et ses moments d'exaltation — qui en sont comme les compensations. Ces moments-là furent fréquents entre nous car nous poursuivions séparément un même but : d'heureuses rencontres. Lui, plus attiré vers leur expression physique que moi, il demandait galamment à la dame qu'il convoitait «de bien vouloir lui confier son plaisir». Mal logé chez lui, ces rendez-vous avaient plutôt lieu à l'hôtel du Quai d'Orsay. Et il confia dernièrement à ma fidèle gouvernante Berthe «qu'il lui fallait désormais plusieurs mois de préparation à ces rencontres amoureuses, et encore plus de temps pour s'en remettre»!

Chez ce forcené, des plaisirs si brefs s'accompagnaient trop rarement d'un sentiment à entretenir, ce qui laissait au « cavalier seul » le temps de méditer, comme dans son *Libertin raisonneur,* et le temps d'écrire sur son sujet favori : Guillaume Apollinaire.

Rouveyre était le plus généreux des confrères. C'est tout d'abord le livre qu'il écrivit sur Paul Léautaud qui fit le mieux connaître et apprécier ce curieux personnage que les déjeuners littéraires chez Florence Gould transformèrent en vedette et que Robert Mallet, avec leur dialogue à la radio, présenta finalement au grand public. Léautaud avait d'ailleurs aussi ses auditrices choisies : Marie Laurencin me confia qu'elle n'écoutait cette émission que pour entendre médire Léautaud et fuser son petit rire maléfique. Et dans les apartés chez Florence Gould, seul Marcel Jouhandeau osait lui tenir tête. Ce démolisseur d'esprits eut pourtant une seule admiration, dont il ne se départit jamais : Remy de Gourmont. Celui-ci crut pouvoir prier Rouveyre de faire un dessin de son Amazone. Le résultat faillit les brouiller. Jusqu'à sa fin Léautaud garda rancune à Rouveyre malgré toute la reconnaissance qu'il lui devait, car Léautaud chérissait ses petites rancunes comme d'autres un grand sentiment.

Rouveyre a heureusement connu des amitiés aussi constantes que celles qu'il savait éprouver, témoin celle que lui voua Jean Cassou. Son livre *Le Reclus et le Retors* est une étude approfondie sur Gourmont

et Gide, sur l'opposition de leurs deux caractères. Il
fut parmi les premiers à glorifier Gide, parmi les premiers aussi à le démolir : *Et si le grain ne germe,* etc.

C'est ce dessinateur à la plume redoutable qui,
après la mort de Gourmont, illustra avec ferveur les
Lettres intimes à l'Amazone, où figurent nos deux
demeures. Matisse, qui correspondait sans cesse avec
Rouveyre, illustra son dernier roman, tandis que
Gourmont préfaça un de ses premiers grands livres
de dessins érotiques.

Malgré son penchant donjuanesque à l'infidélité,
Rouveyre connut plusieurs attachements féminins et
continua de les combler d'une dévotion lassée. Une
de ses premières grandes passions commença à
l'époque du tango (alors les couples s'essayaient
debout avant de se livrer à de plus complètes liaisons).
Elle dura jusqu'à la mort de cette belle poupée étrangère, devenue opiomane. Une autre maîtresse, à
reprises, et qui revenait du même pays lointain que
la précédente, ne demanda pas mieux que de l'accom-
pagner au pied levé dans son taudis de la rue de Seine,
mais cette voyageuse prudente voulut d'abord, tandis
que Rouveyre et moi l'attendions dans mon auto,
monter dans sa chambre d'hôtel prendre un parapluie!
Ces « mignonnes », comme il avait coutume de les
appeler, étaient souvent fort avancées dans la vie, ce
qui ne les rendait que plus empressées à en recueillir
les derniers soubresauts.

D'autres passions le libérèrent à temps — ou à son regret, comme celle dont il me fit confidence dans l'émouvante et chevaleresque lettre que je vais avoir l'indiscrétion de citer et que peu d'hommes auraient eu la générosité d'écrire.

28 décembre

Natalie chérie! Votre lettre est venue avant-hier et m'a donné un vif bonheur. Vous avez, quand vous écrivez, votre même accent surprenant, au ressort investigateur et perçant, et juste comme flèche à son but, tellement celui de votre jugement toujours bien pesé; et, c'est chez vous l'étonnant prodige, immédiat, spontané. Vous m'étonnez toujours; d'autant plus que, moi, certes j'essaie de comprendre et de voir juste en toutes choses, autant que faire je le peux, mais je n'en finis plus de réfléchir, de sonder, pour essayer d'y parvenir à me diriger dans le ténébreux! Chez vous, ça va tout seul, et c'est tout prompt! Le mécanisme est éblouissant. A chaque coup ça me sidère; ça me laisse « baba » (comme j'entendais dire, dans ma jeunesse, par les grandes personnes qui, j'imagine, aimaient beaucoup la bonne petite montagne de pâtisserie légère, arrosée de rhum!) Enfin bref, Natalie: joie réelle de mon esprit et prolongée, à votre lettre... particulièrement à ces si justes propos où j'ai bien vu que vous partagiez ma manière de voir au sujet des soucis, maintenant exclusivement

*objectifs, que je conserve à l'égard de Mme B. Ah!
il ne faut pas regretter qu'elle avance sans cette
expérience qui est la nôtre maintenant. Pour ne consi-
dérer que de mon côté, je n'ose m'interroger si, à
l'âge qu'elle a, j'étais plus mesuré qu'elle à ne vouloir
pas retenir mes transports d'alors, et les mouvements
de ma nature selon l'économie raisonnable de laquelle
je suis devenu ultérieurement partisan. Alors maintenant, pourquoi pourrions-nous ne pas envisager favo-
rablement, pour elle dans la suite, qu'il est en tout
cas utile qu'elle affronte le face à face avec de ces
expériences sévères et révélatrices dans ce qu'elles
peuvent avoir (au contraire de ce que notre expérience peut y craindre) de très bon et point du tout
détestable. Ah, et puis, les destins juvéniles, et par
malchance trop rigoureusement engagés selon une
oppression trop contraire, trop oppressante, comment
ne comprendrions-nous pas l'intime protestation contre
l'emprisonnement journalier qu'est la vie conjugale;
qu'est, à vrai dire, pour les femmes, presque toutes,
la vie conjugale?*

*Chacune s'en accommode ou s'en tire comme elle
peut... dans cet ordre de choses, et je parle au général
— tout à fait en dehors et dégagé des rapports parti-
culiers et affectueux qui existent entre Mme B. et
moi, et qui me laissent en deçà de la question parti-
culière — j'y suis resté très sensible à ce côté assez
injuste et qu'il leur est difficile de subir, qu'est la*

*condition des femmes lorsqu'elles se laissent prendre,
ou sont obligées de se laisser prendre au piège
conjugal au service de fins qui leur sont désormais
dévorantes... Il est vrai que, comme vous m'avez dit
au téléphone : quitter une cage pour entrer dans une
autre... c'est un audacieux défi à la prudence! Mais
tout de même et pour ma part d'autant plus mes
vœux à l'audacieuse! Et : « A Dieu va », comme
disait mon arrière-grand-mère sous Louis-Philippe;
alors qu'on n'était encore que confit dans le senti-
mental! Nous disons, nous, « En avant » à l'audacieuse quand elle est engagée sur la corde raide —
et sans notre balancier, encore!*

*Natalie! voici cette année avec un zéro au bout de
son chiffre... Peut-être qu'il ne deviendra pas ce zéro,
le chiffre de votre vieil et constant ami! Qui sait du
destin, ni de mon goût à conclure, en général à bon
temps, à bonne condition?*

*Auprès de vous de tout bon cœur accoutumé, chère,
chère Natalie.*

Frère André.

Ses liaisons véritables, décrites dans ses livres, lui
laissaient comme une nostalgie de l'Amour, car l'Idole
qui en faisait l'objet devenait « petite, petite, petite »
— c'est là la conclusion d'un de ses romans. Elles
ont rejeté notre « Singulier » vers le meilleur de lui-

même. Mais comment cela se pouvait-il qu'un être aussi séduisant que séduit, et doué non seulement de fantaisie mais d'un grand cœur, n'ait pas mieux recherché, ni trouvé, la compagne qu'il méritait?

Son don pour la caricature — il détestait ce mot, le repoussant au profit de : transfiguration, ou défiguration? — fut peut-être un don diabolique. Lorsque ces défaiseurs du visage humain se penchent sur la beauté des femmes, pourquoi, au lieu d'en subir l'extase, n'en rapportent-ils qu'une grimace? Et quelle ingratitude envers la vie, me semble-t-il, que de se saisir d'une proie et de l'emporter dans la solitude pour la dépecer. Son *Gynécée,* sa *Parisienne,* etc., etc., etc., pris sur le vif, sont autant de témoignages d'un amour détruit. Et quelle faiblesse dans ce dégagement, dans cette défense peureuse de devenir victime!

Nos entretiens furent bien autrement accordés. Et j'ai l'impression que c'est dans de telles amitiés que mon « frère » André vécut ses heures d'une lucidité comblée.

Et c'est là que, niant sa mort, je cherche à le retrouver.

Arlequin à l'Académie

FILS DE NOTAIRE, il devint notoire dans ce monde où l'on s'ennuie et qui avait besoin de ce faux fou sans roi. Cet Arlequin aux arts changeants exploite leurs éblouissantes diversités en une succession ininterrompue de feux d'artifice.

Fidèle au symbole de son habit et de son esprit polychromes, il en a vu et nous en fait voir de toutes les couleurs.

Un maître de ballet lui ayant dit : « Etonne-moi », il étonna ; et, plus facilement que par ses œuvres, par l'éclat inouï de sa conversation illustrée de toute une comédie de gestes.

Puis s'apercevant combien fantaisie rime avec poésie, il se sacra poète, et s'est montré, en fait, l'un des meilleurs, sauf quand la fantaisie l'emporte chez lui sur la poésie — mais de leur rencontre bien

accordée, il résulte souvent un surprenant poème qui
a l'art de s'arrêter à temps pour ne pas risquer de
compromettre sa réussite. D'ailleurs, que de poèmes
n'a-t-il pas réussis, surtout dans la première partie de
son livre qui me semble l'obscur-clair de son *Clair-
Obscur?* J'avoue avoir du mal à ne pas m'incliner
vers ce poète à double-face, — ou dont la face se
compose de deux profils contradictoires.

Nous faut-il voir le revers de sa médaille et assister
à ce dédoublement où il perd la face qu'il a gagnée
en jouant à merveille son rôle d'histrion mondain,
calquant également sa vie, ses amours, ses livres et
son théâtre sur des trouvailles? Ce transformateur,
toujours à la recherche de nouveautés, « met en
pièces » tout ce qui peut lui servir dans les chefs-
d'œuvre anciens qu'il refaçonne à sa façon. Il présente
ensuite à un public fatigué du grand art, ce petit
art de rechange, aux amusantes surprises, greffant
ainsi sur des mythes sacrés ses métamorphoses à
succès. Un style tout en pirouettes risque de se terminer en culbute. Les applaudissements qu'il reçoit
sont des espèces de gifles à retardement, mais comment ne pas continuer ses tours? Cesser de plaire
demanderait un tout autre courage. Tous les honneurs
ne sont pas honorables et il est des esprits qui ambi-
tionnent de s'éteindre purs d'honneurs.

Ce prestigieux touche-à-tout se mit aussi à
dessiner. Picasso l'en félicita, qui le peignit peut-

être inconsciemment dans *la Mort de l'Arlequin.*

Mais cet Arlequin ne pouvait mourir : trop mobile pour que la mort puisse s'en saisir, elle saisit ses compagnons, et tous ceux qui, avec lui, ou suivant son exemple, jouèrent de cette flûte opiacée d'où sortent les rêves. Des rêves qui, pour d'autres, finissent en cauchemars, mais dont leur initiateur, plus résistant, persiste à s'inspirer, — comme dans ce beau songe filmé où, frappé au cœur par une boule de neige, un poète succombe. Mais ce n'est jamais lui, l'auteur, qui meurt.

Par mauvais temps, il cache sa flûte, brouille ses prismes. Tel l'arc-en-ciel, il s'évapore, disparaît, et ne reparaît qu'après les orages. Renouvelant ainsi les promesses éphémères de son *Grand Ecart.*

Il y a du phénomène, de l'acrobate, du prestidigitateur et du diablotin en lui, et quelque chose aussi d'une « vamp », ou de ces vampires qui battent doucement des ailes pour endormir leurs victimes, puis s'alimentent de leur sang; et, si cela se trouve, de leur génie.

Ce produit de l'époque, cet enfant gâté, pourri de talents, cet amuseur-né qui, en mouvement perpétuel, change sans cesse de tours et que rien n'arrête, où s'arrêtera-t-il?

Sa personne lui servant d'affiche, il se met constamment en avant. Et même lorsqu'il veut servir autrui, il le dessert. Car toujours et partout en représen-

tation de lui-même, il escamote, encore plus qu'il ne
révèle, la réelle valeur de ceux dont les talents dépassent toutes ses arlequinades. Il se peut qu'il pose à
la vedette malgré soi; mais cet enfant foncièrement
égoïste s'attribue et s'approprie toutes les faveurs et
glorioles de l'Arbre de Noël, convoitant jusqu'à
l'ange et l'étoile du sommet, sans oublier ces minus-
cules bougies allumées qu'il arrive à brûler — sans
se brûler — par les deux bouts.

Mais voilà qu'un beau soir, lui-même semble
frappé au cœur et que l'on se demande, consterné :
« Il avait donc un cœur? » Mais oui, puisqu'il en
meurt. Cependant, il revit, retrouve ses esprits, son
esprit, sa boîte de couleurs et recommence... On finit
par douter qu'il y ait en lui de quoi finir. Reprendre
son costume d'Arlequin, dont la légèreté est parfois
si lourde à porter, semble devoir être son lot. Encore
convalescent, il hésite, puis le rejette, et choisit un
rassurant petit complet de visite.

Décidément, c'est le vert qu'il réclame. Et, de
porte en porte, il charme ou apitoie tous ces Messieurs
aux habits verts, habit dont ce caméléon a secrètement
envie depuis que le public, peu à peu lassé de ce
joujou de Paris incassable et inlassable, applaudit
moins à ses reprises.

Ah! s'il pouvait, pour terminer en beauté sa car-
rière bariolée et un tantinet scandaleuse, réapparaître
réhabilité et tout de neuf rhabillé, déguisé et fièrement

méconnaissable, en académicien! S'asseoir, enfin, ne fût-ce qu'un long instant, dans l'un de ces quarante fauteuils, apparemment si confortables, après avoir échangé la lame étincelante et tranchante de son esprit contre une épée gainée, de tout repos, et offerte avec empressement par ses nombreux amis et admirateurs!

Et voici que ce vieil enfant terrible et qui n'ose plus le paraître, d'un tournemain et d'un tour de scrutin, est élu. Rassuré sur lui-même, arrivé, quoique non sans dommages, à bon port, par le pont des Arts, rien ne l'empêche plus de continuer à exister, selon ses vœux, en vase clos, sous cette coupole de verre, parmi ces verdoyants Messieurs qui le félicitent d'être un des leurs!

Après avoir prononcé son suprême discours, joué et gagné sur la carte Tharaud, que n'a-t-il pu leur échapper, à ces Immortels, en tombant vraiment mort en pleine apothéose et séance plénière? C'eût été la trouvaille des trouvailles, et son dernier coup de théâtre.

Tout lui ayant réussi (même ce qui lui était contraire), subira-t-il, et sans pouvoir s'en divertir, ovations académiques et funérailles officielles?

Mais qui en pleurera et qui le pleurera, sinon ses amis des deux milieux et, à l'écart, un pierrot fantôme ou quelques fraternels arlequins, — auxquels il a faussé compagnie et qui regrettent qu'il ne soit pas resté fidèle à lui-même, revêtu de toutes les belles couleurs de sa fantaisie?

Pour se consoler de cette défection, que ne peuvent-ils s'agenouiller, comme dans ce tableau, qui m'a émue lorsque je le vis chez Somerset Maugham et où Picasso restitue leur chef étendu dans son justaucorps losangé... Et ne se devait-il pas de finir ainsi — sans trahir ses couleurs?

(1956)

Dernière rencontre
avec Edmond Jaloux
au Beau-Rivage d'Ouchy

APRÈS AVOIR RESPIRÉ du lac Léman la fétide odeur du large, contemplé les cygnes en famille, évoqué tant de personnes déplacées parmi lesquelles des rois en exil qui, au lieu de présider aux affaires d'Etat de leur pays, s'occupent à suivre une balle de golf, tandis que des reines ne sentent pas l'ironie de ne tenir, entre leurs mains souveraines, que des rois, reines et valets de cartes, j'eus plaisir à voir Edmond Jaloux, suave mandarin aux doigts effilés, vivre dans cette seconde patrie en accomplissant son œuvre, auprès de la plus belle et dévouée des épouses.

Comme tant de fois, depuis d'innombrables années d'amitié, je me retrouvais auprès d'eux, assis cette fois sous les grands arbres du Parc après le déjeuner.

Germaine, voyant qu'un rayon de soleil à travers les ombrages mobiles persistait à taquiner Edmond, lui conseilla d'aller chercher son chapeau au vestiaire de l'hôtel, et ceci au moment où il savourait une liqueur de son choix.

Il hésita d'abord à bouger, puis voyant combien la soucieuse Germaine avait raison, il se leva à regret, et revint peu après vers nous, coiffé dudit chapeau. Il reprit sa place entre nous, son petit verre de fine et notre conversation, là où il les avait laissés.

Avons-nous dit « d'impérissables choses »? j'en doute, car notre sympathique intimité n'en demandait pas tant. Il nous suffisait de goûter paisiblement ce bienfait d'être ensemble.

Réveillée le lendemain à l'aube par un bruit sourd, saisissant comme un présage, je vis de mon balcon qu'un arbre venait de s'abattre : étendu de tout son long à travers chemins et pelouses, avec toutes ses branches et ses feuillages verts, il semblait encore vivant.

Ce même soir nous apprîmes qu'Edmond Jaloux était tombé de la sorte. Combien de branches et de feuilles vivantes il nous laisse aussi. Il reste à recueillir cette œuvre, inachevée, avec ses ramifications dans tous les sentiers des belles lettres. Elle le sera grâce à la ferveur et la consciencieuse intelligence de Germaine Jaloux.

Mais comment se passer de l'amitié diverse et unique d'Edmond pour chacune de nous!

José de Charmoy

Je vais a la découverte de certains êtres, comme d'autres vont à la recherche d'une œuvre d'art. N'est-ce pas un même flair qui nous guide vers un génie ou vers un chef-d'œuvre? — quitte à nous tromper sur leurs valeurs, il est exaltant d'y croire.

En entrant dans l'atelier du sculpteur José de Charmoy, j'avais devant moi, simultanément, l'artiste et son œuvre : un jeune homme d'une beauté singulière, dévoré par une flamme intérieure qui, brûlant à travers ses yeux sombres, me donna l'impression qu'il se consumait pour les géants de pierre ou de plâtre qui l'entouraient.

Son Alfred de Vigny, bien plus grand que nature, grandi encore par sa cape, se détournait de nous orgueilleusement.

Dans un autre coin de l'atelier une caisse attendait

l'expédition de la statue de Leconte de Lisle, commandée par les colons français de l'île Maurice — île dont les Charmoy étaient aussi originaires.

Au centre de l'atelier, un énorme buste en pierre d'Ernest Renan nous imposait son lourd visage, au nez puissant, d'où ses yeux embusqués nous scrutaient avec bonhomie. Son caractère se marquait par l'intensité des lignes, profondément ciselées dans cette physionomie où la bonté et le doute vivaient en bonne compagnie.

José de Charmoy, voyant combien j'admirais ce Renan qu'il venait d'achever, le plaça dans mon jardin à Paris. On me demanda de le prêter afin qu'il pût présider sur la scène du Trocadéro à une conférence de Daniel Berthelot sur Ernest Renan, à laquelle j'assistai. Puisqu'il n'a pas été rendu à son piédestal recouvert de lierre, j'ose espérer qu'il trouvera finalement sa place officielle chez Renan, en Bretagne.

Quant au buste d'Emile Zola, il doit encore être visible du chemin de fer qui côtoie sa propriété à Médan; ce bloc blanc semble tout dominer de sa force.

Au moment de notre rencontre, Charmoy travaillait aux quatre génies aux fortes ailes, aux muscles saillants qui devaient soulever le socle destiné à l'effigie de Beethoven.

José de Charmoy avait deux cultes: l'un pour

Beethoven, l'autre pour Baudelaire. Et c'est Charmoy
qui sculpta la tombe de l'auteur des *Fleurs du Mal*
— de Max ayant posé pour l'esprit du mal qui domine
ce monument au cimetière Montparnasse.

André Germain admira José de Charmoy au point
de lui commander, bien que superstitieux, son tombeau. Tombeau sur lequel il figure étendu dans sa
candeur première, un lys entre ses faibles mains.

Gide et de Max étaient également assidus auprès
de ce beau sculpteur, attirés sans doute par le charme
de ce visage plus fin que l'artiste lui-même ne l'eût
voulu, puisque seuls l'intéressaient la grandeur
humaine et l'accomplissement de l'œuvre à laquelle
il se consacrait — œuvre qui le tuait, car il n'avait
pas la force physique de la toute-puissance qui l'ha-
bitait.

Je crois que c'est André Gide qui m'a fait connaître
cet être d'une si rare beauté d'âme et de corps. C'est
en tout cas dans son journal (pages 196-197) qu'il
nous évoque dans l'atelier de Charmoy, avenue du
Maine. C'est dans ce même atelier qu'il me semble
avoir aperçu pour la première fois l'adolescent Jean
Cocteau récitant des vers au groupe qui faisait cercle
autour de lui : son long visage et ses mains de poète,
— tels que Romaine Brooks les a peints dans son
portrait vers 1910 — semblaient mendier de chacun
de nous deux sous de gloire.

Mme de Charmoy, qui s'occupait fort gentiment

de ces réunions, fut appréciée successivement par deux ministres. L'un d'eux prit le Beethoven de Charmoy sous sa protection. Mais ce monument ne fut achevé qu'au début de la guerre de 1914 et on ne put le placer qu'à l'écart, au bois de Vincennes.

De sa blonde épouse il eut — comme par inadvertance — une fille, puis un garçon. Dans toute son œuvre ne figure ni femme ni enfant. Seule subsiste une tête de moi qu'il fit couler en métal doré et qui me ressemble comme un frère.

Il me décrivit, peut-être de façon plus ressemblante, dans ses lettres :

« Sachant la futilité de vos journées, de vos plaisirs, extérieurs à votre fond, — je crains de m'illusionner sur la réussite. Trop d'habitudes, de circonstances, d'influences étrangères, vous ont à votre insu lentement détournée de vous-même, trop d'amies qui n'étaient pas de votre race vous ont amusée, mais sans vous éclairer. Vous êtes victime dans l'opulence. Vous avez trop d'amis pour en avoir un, vous êtes trop à tous pour être à vous. »

Craignant peut-être de m'avoir blessée par sa première impression de mes « éparpillements », il m'écrivit d'autres lettres, moins sévères, où mon amour-propre cueille la phrase suivante :

« Votre force est profonde, neuve... Quant à votre charme, conservez-le toujours, même dans vos épar-

pillements. Forme si serrée, ciselée, sans mots inutiles.
Votre subtilité amusée, irritée des fadeurs de l'esprit
de lourdeur, comme fouettée par sa supériorité... Quel
lyrisme et orgueil contenu!... Mon amour se réjouit
de l'excès de vos qualités prémunies par leur lucidité
contre tout égotisme romantique, car vous ne vous
trichez pas d'abord à vous-même. »

Poussé par l'ardeur des tuberculeux, il voulut tout
terminer, tout accomplir avant de disparaître, et,
comme dernier témoignage, laisser une grande statue
de la France victorieuse, car la guerre venait de le
surprendre dans une maison de santé. Près d'une
caserne, stimulé par le son des clairons de ceux
qui partaient pour le front, il se leva afin d'étu-
dier devant son miroir le mouvement qu'il voulait
donner à cette œuvre. Puis, contemplant avec désespoir son corps émacié, il retourna à son lit en san-
glotant.

C'est dans cette maison de santé aux environs de
Paris que j'allai le retrouver : en entrant dans sa
chambre, je ne pus m'empêcher d'apercevoir combien
creuses étaient ses joues et rouges ses pommettes. Ses
cheveux qui, jadis noirs et droits, lui donnaient l'air
d'un dieu indien, étaient devenus incolores.

Détournant mon regard par crainte qu'il n'y lût
mon désarroi, j'allai vers la fenêtre entrouverte où
j'aspirai une bouffée d'air printanier afin de raffermir

ma voix. Lui, d'un coude dressé sur ses coussins, me suivait de ses yeux brûlants. Toujours encadrée par la fenêtre, je me retournai enfin : il poussa alors un tel gémissement vers moi, vers la vie, vers son œuvre inachevée que je ne pourrai jamais l'oublier.

Gide et les autres

LE DESTIN DE GIDE, tout en zigzags — tel l'éclair — illumine dangereusement.

A traits vifs, ses actes lui tracent sa voie et c'est à travers autrui qu'il se découvre lui-même.

Il éblouit puis déçoit et son passage est suivi de ténèbres.

S'attachant à toutes choses de biais, il trouve un sens dans le contresens.

Il s'approche de la religion afin de pouvoir mieux s'en écarter. Il use et mésuse de même du mariage.

Il avoue, dans son *Immoraliste,* que, dès son voyage de noces, il éprouva pour les adolescents une attirance irrépressible. Si, après de longues années d'un mariage resté blanc, il devint adultère, c'est sans doute par fantaisie ou esprit de contradiction. De cette expérience naquit une fille qui fut créée à la ressemblance de son père.

Quand son épouse, poussée à bout par les déceptions et le désespoir accumulés au cours de sa vie conjugale, brûla toutes les lettres qu'il lui avait adressées — comme autant de faux témoignages — il se montra inconsolable. Inconsolable, non parce que son geste prouvait à quel point il avait su la rendre malheureuse, mais parce qu'il estimait ces lettres-là les plus intéressantes qu'il eût écrites.

Ces lettres devaient être en effet d'étranges lettres d'amour, pures de tout désir, de cet étrange amour assez fréquent en pays anglo-saxon, où l'amoureux bien pensant et peu agissant, se garde de déflorer l'idole de son choix par la concupiscence.

Le culte médiéval, qui va de la Madone à la Dame, ou de la Dame à la Madone — est motivé, chez Gide, par son peu d'attirance pour les femmes, — et pour la sienne en particulier, qu'il respecta outrageusement afin de se livrer entièrement à son goût inné pour les garçons.

Avec son caractère « retors »[1], peut-être ne ressentait-il jamais autant d'attachement pour sa femme que lorsqu'il la délaissait. Leur parenté et leur ata-

---

1. Épithète que lui applique André Rouveyre dans son étude clairvoyante et approfondie sur Gourmont et Gide : *le Reclus et le Retors.*

visme protestant auraient dû cependant lui imposer plus de retenue, — ou de discrétion. Ses ancêtres puritains, ayant probablement épuisé toutes les vertus, l'en tenaient-ils quitte?

Seuls les dieux peuvent tout se permettre, et ne faut-il pas être sûr de notre sens moral pour pouvoir nous passer de toute autre moralité? D'ailleurs, la moralité apprise ne peut servir de conscience ou de précepte qu'aux croyants, qui l'écoutent ou la suivent à la lettre. Les incroyants, guidés par leur instinct ou leur sentiment personnel, prennent des raccourcis ou se perdent dans les chemins de traverse.

Par delà le bien et le mal de Nietzsche et la doctrine freudienne contre les refoulements semblent avoir mieux convenu à Gide que les dix commandements « Thou shalt not » qui demandent souvent moins de courage que « Thou shalt ».

Cependant, au début, une certaine contrainte incita le jeune Gide à la prudence : c'est ainsi que, s'attablant dans un café avec Oscar Wilde, il choisit une place à l'écart dans l'espoir de n'être pas reconnu. Plus tard, chez notre ami Pierre Louÿs, lorsque je lui proposai une rencontre avec Lord Alfred Douglas, il eut devant cette tentation une longue, exquise et tortueuse hésitation.

Puis, se rendant peu à peu compte que ses hésitations à trahir les convenances le trahissaient plus que des actes, il alla irrésistiblement au-devant de lui-même et vers tout ce qui pouvait servir son art et sa singularité.

Doué de la plus fine, de la plus rusée des intelligences, il comprit que s'il mettait au service de ses vices son art subtil — émanation même de son tempérament — il pourrait accroître sa renommée.

Dans le dessein d'exprimer pleinement son personnage — et parfois sans dessein — il ne s'arrêta pas à une perfidie près. D'où, par exemple, son « lâchage » du *Mercure de France,* cette vieille maison d'une probité et d'un courage uniques, qui avait rendu les premières œuvres de Gide célèbres. Il quitta, en louvoyant, son éditeur et ami, Alfred Vallette, pour collaborer à la *Nouvelle Revue Française.* Là, personne de l'envergure de Remy de Gourmont, que son vaste génie avait solidement établi à la première place rue de Condé, ne le gêna. Par la suite, il entraîna du *Mercure* à la *N.R.F.* une légion d'écrivains, dont Paul Claudel. Mais la puissance et le désintéressement de Gourmont continuèrent à obséder Gide. Pourtant l'écrivain solitaire de la rue des Saints-Pères était placé trop haut pour lui porter ombrage. Gide ne peut être comparé à celui qui mourut comme il avait vécu, pur d'honneurs, et ses livres ne sauraient supporter le parallèle avec l'œuvre de celui dont Henri de

Régnier écrivait : « Il est notre Montaigne, il est notre Sainte-Beuve, il est notre Gourmont. »

La dernière fois que je vis le lauréat du prix Nobel, dans la villa *l'Oiseau Bleu* à Juan-les-Pins, où m'accompagna sa traductrice Dorothy Streackey Bussy et sa famille, Gide m'entraîna hors du groupe des invités, auquel étaient venus s'ajouter sa fille, son gendre et Roger Martin du Gard, pour m'interroger avec une inquiétude prémonitoire sur la possibilité de voir l'œuvre de Remy de Gourmont faire l'objet d'une réimpression et d'un nouveau lancement.

— Mais non, demanda-t-il, c'est bien fini, il ne reparaîtra jamais, n'est-ce pas?

Gide oublia-t-il, dans sa préoccupation, que c'était à l' « Amazone » de Remy de Gourmont qu'il adressait cette question, à laquelle elle s'empressa de répondre, tout en souriant :

— Je crains pour vous que ce vœu soit irréalisable!

Ce fut notre dernier échange de paroles, sinon le dernier mot qu'il m'adressa. Celui-ci fut écrit au moment de la représentation des *Caves du Vatican*, et en voici le texte :

12.12.50

Je ne retiendrai pas ma pensée de vous rejoindre ce tantôt, auprès du Temple de l'Amitié qui, grâce à vous, Chère Amazone, n'a pas à redouter l'hiver.

André Gide.

Il ne m'en voulait donc pas... Ou estimait-il la loyauté des autres? Je le crois plutôt, car c'est un autre trait de loyauté qu'il cite de moi dans son *Journal*...

Puisque c'est à Marcel Jouhandeau que Gide légua sa succession « apostolique », celui-là me semble la pratiquer avec plus de sagesse, lorsqu'il déclare qu'il faut se faire pardonner ses vices par un excès de vertus. Mais pourquoi appeler « vice » une tendance innée tout autant que la normale?

Marcel Jouhandeau, cet écrivain aussi souple d'esprit que de corps, — dont jadis Max Jacob m'avait signalé la vivacité de style et d'observation, — ce professeur catholique, qui, au lieu de se destiner à la prêtrise, choisit plutôt le mariage comme épreuve expiatoire, remplit ses devoirs conjugaux, comme il cultive ses liaisons illicites, avec une égale gentillesse, sinon une égale félicité, me paraît avoir raison lorsqu'il écrit :

« Rien n'est bien ni mal en soi. Le bien est dans le bon usage que l'on fait de n'importe quoi. Un jugement droit, un goût sûr, le caractère, la personnalité rendent possible ici ce que la grossièreté, la vulgarité, l'abus, un mimétisme de mauvais aloi, dégradent là et déshonorent à merci[1]. »

---

1. *Éléments pour une éthique*. Grasset, éditeur. Voir aussi sa réponse à « *Arcadie* », N.R.F., mars 1954.

En tout cas, cet auteur, sans les faux-fuyants, débordements et perversités d'un Gide, a certes mieux accompli ses devoirs humains et dans un sens plus particulier qu'on ne l'entend chez Hamlet :

To thine own self be true, thou canst not then be false to any man.

Ce mari d'Elise a entrepris jusqu'à de fructueuses études de paternité, grâce à une intelligente petite orpheline adoptée par cet extraordinaire ménage — ménage où personne ne se trouve lésé, si ce n'est parfois Elise, élevée cependant hors des préjugés bourgeois. Mais en général, comme en témoigne leur *Chronique Maritale,* tout s'arrange le mieux du monde, dans un monde évidemment établi sur des complexités physiologiques et psychologiques contre lesquelles on aurait tort de s'insurger car, si l'on pratiquait une intolérance claudélienne, combien de gens — et des meilleurs — seraient mis à l'index. Lorsque Claudel lui-même se plaignit, mal à propos, à Maurice Rostand, du nombre croissant des homosexuels, qu'il eût fallu, selon lui, pourchasser, Maurice lui répondit : « Mais alors, Excellence, il n'y aurait plus personne dans les salons! »

Puisque la nature a créé des types aussi opposés et divers, louons-la de nous les offrir en compensation de nos communes misères. Qu'y a-t-il de plus « hors nature » que l'essai actuel tendant à nous rapprocher

d'un seul type : le « robot »? Qu'il nous soit permis
de faire notre choix parmi les personnalités qui per-
sistent à en avoir une et dont il ne reste — comme
pour les éditions rares — que quelques exemplaires!
Et, entre ces cas uniques, de préférer (si je puis dire)
l'immoralité morale de Jouhandeau à l'immoralité
immorale de Gide. C'est que Gide, tout en proclamant
le droit à l'homosexualité, n'a rien fait pour l'élever
au-dessus de l'hétérosexualité, bien au contraire!

On me fit justement remarquer que Gide eut le
mérite d'avoir puissamment aidé à détruire le sens
du péché qui pesait sur la conscience d'innombrables
jeunes gens à tendances homosexuelles. Ce bienfait
contrebalance-t-il le mauvais exemple que Gide leur
donna par sa promiscuité réduite à un besoin érotique?
Cet exemple, suivi par trop de pédérastes, tend plutôt
à dégrader ce qu'il proposa d'élever au-dessus de la
morale courante, et semble ainsi donner raison au
conformisme.

On ne saurait mieux trahir ce qu'on prétend aimer!

Gide se vante de n'avoir jamais souffert par amour,
ni à plus forte raison du manque d'amour? Comme
certaines femmes se vengent d'un séducteur, ainsi
certains de ses plus chers amis, enfin libérés de son
emprise et rendus à eux-mêmes, nous le livrent avec
trop de lucidité.

Je regrette que ma propre lucidité m'ait privée de
subir cet enchantement, et je m'excuse envers ceux

qui sont encore sous son charme, de m'exprimer ainsi.
Mais si « le style c'est l'homme », comment admirer
l'un sans l'autre et ne pas déplorer qu'un tel écrivain
n'ait trouvé rien de mieux pour divertir sa vieillesse
que de poursuivre une jeunesse réfractaire à ses
avances, comme dans cette scène que, dans son ultime
journal, il décrivit dans ses moindres détails.

Le protestant n'a sans doute pas d'autre confes-
sionnal; d'ailleurs ce n'est pas l'absolution que celui-ci
recherchait mais une nouvelle occasion d'affirmer son
indépendance. Quel mauvais exemple de liberté ne
donne-t-il pas en nous démontrant combien elle peut
rendre servile! Admettons que l'on puisse tout faire,
mais à la condition d'en faire quelque chose. Shakespeare en a fait ses *Sonnets,* Gide le plus plat de ses
livres. Peut-être travaillait-il inconsciemment pour la
vertu en rendant son vice aussi antipathique. Tant de
gens font mal le bien! Qu'il nous en reste quelques-uns
qui fassent bien le mal!

Pour revenir à cette déplaisante scène avec le
nommé Victor, elle est en quelque sorte rachetée par
cette autre scène où Gide, à son déclin, assis à l'ombre
sur une terrasse du Midi, se contenta de tenir sur ses
genoux les survêtements de sport qu'un groupe de
jeunes garçons lui avait confiés. Cet octogénaire a dû
contempler avec nostalgie le déploiement de leurs
jeunes corps musclés luttant l'un contre l'autre dans
d'innocents jeux athlétiques, alors qu'il s'était trop

longtemps complu à des exercices érotiques au lieu de devenir, selon la sagesse de Socrate, « l'amant vertueux » et le guide éclairé de ceux qu'il avait aimés et élevés jusqu'à lui.

Quant à cet amant moins vertueux, quel *Banquet* et quel exemple laisse-t-il à ceux qu'il entraîna à sa suite? Le manuel aride et sans spiritualité de son *Corydon?* Et cette jeunesse mal nourrie se rassasiera-t-elle du dilettantisme de ses *Nourritures terrestres,* nourritures qui nous contentèrent jadis?

CES DEUX PÔLES, Gide et Claudel, lorsqu'ils se rapprochent, font jaillir des étincelles qui n'attisent aucun feu et ne propagent pas la lumière.

Entre l'auteur des *Nourritures terrestres* et l'apôtre des vengeances célestes, pas d'accord durable mais seulement un rapprochement, en ignorance de cause. Claudel, loyal dans sa recherche des affinités d'âme, semblait inconsciemment attiré vers ses contraires, dont Philippe Berthelot; ces deux hommes différents en toute chose, se vouèrent une amitié des plus fidèles.

Quant à Gide, Claudel dut, à la longue, reconnaître qu'il s'était trompé. Il lança donc contre lui l'anathème, manquant par là à toute charité chrétienne. Tandis que Gide, déloyal, séduisant et subtil comme la voix du Malin, déguisé en disciple, et malgré un certain humanisme, manquait totalement de charité humaine.

Le catholique Claudel lutta toute sa vie contre sa sensualité qui, transposée, se répand en des poèmes puissants au rythme de son souffle. Sa fervente admiration pour le poète maudit Rimbaud, dont il faussa la légende à sa convenance, prouve son obstination à ne rien comprendre, ce qui lui permit de conserver intacte sa ferveur. Il n'en poursuivit pas moins son destin de patriarche comblé d'une progéniture biblique.

Le protestant Gide, contrairement à Claudel, lutta toute sa vie pour sa sensualité, qui servit de base à la diversité de son œuvre. Une sensualité engagée dans l'inversion ne pouvait devenir une raison d'être en soi, car, si la recherche du plaisir n'est assouvie que physiquement, elle perd tout sens et même toute sensualité pour finir en manie.

A l'autre extrême, la foi passionnée et féroce d'un Claudel, n'admettant qu'un seul culte, ne se trouve-t-elle pas en contradiction avec la Bible et le Nouveau Testament, où Jésus affirme :

« Il y a plusieurs demeures dans la maison de mon Père. »

Ces deux génies opposés : Gide limitant la terre à un lieu de plaisir fait pour son agrément, Claudel réduisant le ciel aux rigueurs de son esprit, arrivent à nous faire sentir que l'amour et Dieu doivent être ailleurs.

TROISIÈME PARTIE

L'Amour défendu

LA COMTESSE G. disait : « Que l'on aime une femme, un homme ou un canari, que m'importe! »

Cette grande dame avait sans doute raison :

L'amour seul importe et non le sexe auquel on le voue. Le reste n'est qu'un problème d'élevage, de sélection et de ségrégation des espèces — la nôtre court en ce moment des dangers autrement inquiétants.

Les superstitions et certains préjugés entravent l'amour. Qu'il en soit donc libéré — le seul regret étant qu'il y en ait si peu par le monde.

Puisque l'expérience du paradis terrestre a fait faillite, et que la terre est devenue cette « vallée de larmes » que nous connaissons, serait-ce le Bon Dieu qui créa ce monde maléfique avec ses systèmes où l'on s'entre-dévore, ou, selon la croyance cathare, une autre Puissance?

Que nos mœurs procèdent des dieux, des insectes ou de quelque autre origine, la nature, accueillante à toutes les matières d'être, s'en accommode et les fait siennes.

Le mot « hors nature » est tombé naturellement hors d'usage, mais reconnaissons que rien ne pourrait être plus contre-nature que l'uniformité que l'on tâche de réaliser.

« L'ennui un jour naquit de l'uniformité. »

On a déjà éliminé bien des espèces animales : entre autres l'oiseau de paradis! Mais contre la multiplicité des naissances qui menacent le genre humain, que faire?

Le « croissez et multipliez » biblique avait sans doute ses raisons d'être lorsqu'il n'existait qu'un trop petit nombre d'humains pour peupler la terre.

Mais à présent? Et puisque ni les guerres d'extermination, ni le « birth control » ne suffisent à limiter les populations, comment l'Hôte des hôtes ne s'aviserait-il pas de changer sa formule en « décroissez et ne vous multipliez plus »? N'agirait-il pas ainsi en hôte responsable qui se garde d'inviter plus de monde qu'il ne convient au banquet de la vie (banquet aux nourritures de moins en moins délectables!), et qu'il ne peut bien recevoir, loger et ravitailler?

« Tu gagneras ton pain à la sueur de ton front. »

Mais s'il y a plus de fronts que de pains? Et, si le Créateur eut ses raisons de vouloir détruire Sodome

et Gomorrhe, ces raisons sont-elles encore valables?
Et n'a-t-il pas aussi maudit, en le chassant du paradis,
le premier couple humain, qu'il condamna à procréer
désormais dans la douleur?

Malgré ses fâcheux débuts terrestres, la famille, à
la base de notre société, demeure une institution irremplaçable bien qu'elle continue souvent à produire des
parents et des frères ennemis. Cependant elle vivote
tant bien que mal — plutôt mal dans le cas de bien
des pauvres couples accablés de misère et d'enfants.

Si l'encouragement à la fécondité persiste et survit
à ses raisons d'être, c'est en partie grâce aux préjugés
qui aveuglent encore bien des braves gens.

Les préceptes et réformes sont rarement tout à fait
désintéressés. Prenons pour exemple ces vertueuses
militantes qui, en mal de bien faire, mais rarement
compréhensives ou tolérantes au delà de leurs propres
besoins, vont de l'avant en épousant (à défaut
d'homme) toutes les causes.

Si elles n'ont pas réussi à supprimer certaines
mœurs (malgré un récent exemple d'emprisonnement
digne du temps d'Oscar Wilde [1]), et si armées par
les lois, elles rencontrent néanmoins tant de décourageantes difficultés à ramener les anormaux « dans

---

1. Les détournements de mineur sont, à juste titre, punis; mais
pourquoi la peine est-elle plus sévère pour les garçons que pour
les filles, puisque ce sont les filles vierges qui courent les plus
grands risques de dommages?

le droit chemin », c'est peut-être qu'elles défendent des lois périmées.

En général, on ne se rend pas suffisamment compte que, pour la plupart des anormaux sexuels, l'anomalie consisterait justement dans la pratique d'une sexualité normale! Qu'on étudie donc plus profondément cette question auprès des auteurs qui en ont fait leur spécialité : Hovelock Ellis, Kraft Ebbing, Freud, Young, etc... Grâce à eux l'hypocrisie au sujet de ces mœurs tend à disparaître.

Cependant, les pays les plus avancés et qui s'effraient de leur surcroît de natalité oseraient-ils préconiser ce qu'ils admettent tacitement : l'homo-sexualité, cette soupape de sûreté pratiquée à toute époque et que tant de jeunes gens emploient instinc-tivement, et tout en croyant commettre un péché mortel.

Que l'homosexualité continue à exister et foisonne, ne nous semble ni un privilège ni une déchéance, mais un fait qu'on ne saurait méconnaître.

D'ailleurs, les amours inféconds, contrebalaçant les amours trop féconds, tendent à rétablir un équilibre souhaitable, puis elles sont d'une variété insaisissable qui va du sodomite qui s'affiche à celui qui se cache, se trompe ou s'ignore!

Comme je l'ai publié dans mon *Procès de Sapho* [1] :

---

1. Réimpression des *Pensées d'une amazone* chez Émile Paul. Paris.

« Nous sommes presque tous d'un composé humain si complexe qu'il faut répéter que chacun de nous possède des principes masculins et féminins : quel homme n'a reçu quelque attribut féminin et quelle femme ne montre à l'occasion quelque trait masculin, ce qui nous rappelle à l'ordre primordial qui précédait la « division des sexes ».

N'oublions pas qu'Eve fut tirée d'une côte d'Adam, et que l'homme, né de la femme, ne saurait être entièrement masculin.

L'homme normal (s'il existe), et même s'il se vante d'être exclusivement mâle — l'est à l'état de sevré et « rêvera partout à la chaleur du sein », ce qui explique certaines de ses tendances, dues sans doute à ses longs mois de séjour dans la matrice maternelle.

Et s'il éprouve quelque inclination pour les arts, ne le doit-il pas aux muses qui présidèrent à sa naissance et qui l'ont voué à devenir cet hybride : l'Artiste ?

Il se produit certes des cas extrêmes évidents et aussi opposés que l'albinos l'est au nègre. Cependant, que personne ne se croie à l'abri d'un changement, même sans une de ces opérations radicales décrites dans les journaux, et dont nous connaissons deux exemples parmi nous.

Car, en général, la nature attend son heure pour jouer un de ses tours : il lui arrive de masculiniser les traits de certaines femmes; celles-ci perdent jusqu'à leurs appas qu'elles semblent avoir passés à certains hommes qui étalent sans pudeur ventres et seins opulents sur les plages.

Ce chassé-croisé des sexes, s'il est parfois plus discret extérieurement, n'en change pas moins profondément les goûts et les mœurs : ainsi cette épouse, retrouvant ceux d'un gentilhomme de sa lignée, s'amouracha d'une tendre amie et finit ses jours en sa compagnie. L'époux, en rupture d'habitudes conjugales et qu'aucune loi de divorce ne protège, regrettera-t-il cette séparation au point de ne pouvoir revivre, ou saisira-t-il l'occasion de donner cours à quelque autre lui-même, en attendant que ce couple jadis uni, redevienne côte à côte deux purs squelettes asexués, dans le caveau familial!

Dans cette confusion des sexes et parmi les êtres inconscients de leur double nature, il y en eut d'autres, certes, fort conscients de cette dualité, et interchangeables à volonté : tel Jules César qui, selon le dire de ses contemporains, était non seulement l'amant des épouses, mais la maîtresse de leurs époux.

Mlle de Maupin, ce cavalier femme, exprima son être sans refoulements. La reine Christine de Suède agit peut-être, mais mystérieusement, de même.

Parmi les couples qui demeurent ensemble toute une vie sans changements, j'ai connu peu de ménages aussi fidèles que ceux de ces mères et ces fils tellement attachés l'un à l'autre que, quels que fussent leurs amants ou leurs liaisons momentanés, ils ne purent se passer de cet amour mutuel, qui, les ayant liés l'un à l'autre avant la naissance du fils, ne put se dénouer que par la mort de l'un d'eux, laissant le survivant inconsolable; exemple Maurice Rostand.

Mais les couples masculins connaissent des heures encore plus difficiles que les couples normaux, à en juger par Verlaine et Rimbaud et leur *Saison en Enfer*.

Saison en enfer qui eut ses compensations :

> « *Car les passions satisfaites*
> *Insolemment, outre mesure,*
> *Mettaient dans nos têtes des fêtes*
> *Et dans nos sens que tout rassure,*
> *Tout : la jeunesse, l'amitié*
> *Et nos cœurs, ah! que dégagés*
> *Des femmes prises en pitié*
> *Et du dernier des préjugés.* »

Et l'époux infernal, Verlaine, disait : « Toi dieu parmi les demi-dieux. »

Pourtant, sa famille, soucieuse de sa bonne réputation, a ridiculement voulu prouver que leurs relations étaient chastes — chastes en l'honneur de qui et de quoi?

« On ne se retire pas à deux pour être chaste, mais on l'est peut-être devenu du moment qu'on s'aime, parce que le corps que l'on aime prend une valeur telle qu'on ne peut le qualifier par des mots impudiques. Pour Verlaine, les relations sexuelles deviennent chastes lorsqu'elles sont dictées par l'amour et il ne confond nullement l'amour avec le besoin physique. L'amour est chaste quels que soient ses gestes [1]. »

Un autre exemple, peu exemplaire, fut celui d'Oscar Wilde et d'Alfred Douglas. Ils avaient souffert l'un par l'autre; au lieu de revivre à l'écart l'un de l'autre, ils furent heureux de se rejoindre après l'épreuve, mais ils reprirent aussitôt leurs disputes et leur vie de débauche.

Et ce vers d'Oscar Wilde en dit long :

The loveless lips with which men kiss in hell

Ces baisers sans amour des hommes en enfer

Cependant, après la mort de Wilde, et faisant trêve à leur désaccord, le poète Douglas eut cette vision de son ami dans un sonnet que j'ai traduit ainsi :

Cette nuit j'ai rêvé de lui, j'ai vu sa face
Rassérénée enfin, sans ombre ni tourment...
Musique de jadis qui chante éperdument,
Je réentends sa voix, et son verbe qui trace
Sous l'aspect quotidien, ce miracle, la grâce.

1. *Lettres à l'Amazone* de Remy de Gourmont, Mercure de France, Paris.

L'AMOUR DÉFENDU

Cette voix fait du vide un émerveillement,
Revêt tout de beauté, comme d'un vêtement,
Et le monde n'est plus, la fable le remplace.
Plus tard il me sembla qu'au dehors d'une grille
Je regrettais ces mots perdus à peine nés,
Mystère à moitié dit et que l'heure éparpille,
Ces contes oubliés qu'il contait sans effort
Tels des oiseaux chanteurs étaient assassinés,
Ainsi je m'éveillai sachant qu'il était mort.

Les couples féminins, généralement plus exclusifs, formeraient-ils de meilleurs ménages, à l'exemple de ces dames de Langollen, qui, après l'enlèvement de l'une par l'autre, « settled down » et reçurent chez elles les personnages les plus intelligents d'une société qu'elles avaient naguère scandalisée?

Et la grande Sapho ne vécut-elle pas en harmonie, non avec une seule, mais avec plusieurs de ses amies, qui, se succédant, éprouvèrent de ces douces rivalités qui furent plutôt un sujet d'inspiration que de discorde, à en juger par les fragments que Sapho, cette « dixième Muse », nous a laissés.

Encore hier, la poétesse Lucie Delarue-Mandrus célébra ainsi ces *Femmes élues :*

Comme un courant d'eau douce à travers l'âcre mer
Nos secrètes amours, tendrement enlacées,
Passent parmi ce siècle impie, à la pensée
Dure, et qui n'a pas mis son âme dans sa chair.

Ainsi Renée Vivien chanta orgueilleusement mais douloureusement, tout au long de ses volumes de vers[1], ces amours qu'elle confesse ainsi :

Considère la loi vile que je transgresse
Et juge mon amour, qui ne sait point le mal
Aussi candide, aussi nécessaire et fatal
Que le désir qui joint l'amant à la maîtresse...

On m'a montrée du doigt en un geste irrité
Parce que mon regard cherchait ton regard tendre,
Et nous voyant passer, nul n'a voulu comprendre
Que je t'avais choisie avec simplicité.

Laissons-les au souci de leur morale impure...
Nous irons voir le clair d'étoiles sur les monts...
Que nous importe à nous le jugement des hommes?
Et qu'avons-nous à redouter, puisque nous sommes
Pures devant la vie, et que nous nous aimons?

Respectons donc ces variantes de l'espèce qui nous honorent de leurs dons : ces êtres singuliers qui, au lieu de créer une descendance hasardeuse, firent œuvre de génie, puisque nous reconnaissons que les génies excellent moins à se reproduire qu'à produire. Que ces « sommités fleuries » de notre race, qui ne portent

---

1. Alphonse Lemerre a publié en deux volumes *les Poésies complètes* de Renée Vivien.

d'autre fruit que leur œuvre, nous consolent de la médiocrité multipliée du genre humain.

Et réjouissons-nous si quelques-unes, en sortant de la norme, apportent quelque diversité à l'espèce, quand cela ne serait que pour éloigner de nous ce système de robots que nous sommes en train de lui infliger ou de subir — avec ces doctrines d'égalité sans liberté, ni fraternité, génératrices d'une Société composée de personnes sans personnalité.

Selon l'excellente conclusion d'un biologiste [1], « ce ne serait pas la peine que la Nation fasse de chaque individu un être unique pour que la Société réduisît l'humanité à n'être qu'une collection de semblables ».

Dans cet état d'asservissement généralisé, moins pour le bien que pour le mal de tous, — car la qualité se perd dans la quantité — que l'amour, cette force d'exaltation individuelle, nous relève de cette civilisation sans civilisés ou de ces civilisés sans civilisation!

Car que nous offre ce soi-disant « monde moderne » en échange d'une vie privée de plus en plus menacée? Des émotions collectives, suscitées sinon par des guerres à bombes H, du moins, en attendant, par les « rings » où des foules se trouvent transportées d'enthousiasme et de joie — plus que par tout autre spectacle, fût-ce la mise en scène d'un chef-d'œuvre —

---

1. *Pensées d'un Biologiste*, par Jean Rostand. Stock, éd. Paris.

à la vue d'un couple de boxeurs en train de lutter jusqu'au « knock-out ».

A chacun les plaisirs publics ou privés qu'il mérite. Mais pourquoi la France, qui avait la suprématie d'une civilisation accomplie, se laisse-t-elle influencer par celle des autres peuples, en formation ou déformation, car qui, sinon Elle, leur apprendrait à vivre?

Heureusement, le Français, tout en cédant aux excès d'alcoolisme d'outre-Manche et d'outre-Atlantique, résiste aux tabous du puritanisme quant aux choses de l'amour — qu'il connaît et qu'il pratique mieux que quiconque.

Mais dans les choses de l'amour, il ne faut pas confondre « amour défendu » avec les dépravations de ceux chez qui le vice sexuel tourne à l'idée fixe, devient une folie qui dégrade, torture ou ridiculise la personne humaine. Vice où il n'entre ni sentiment, ni amour, ni passion véritable.

D'ailleurs, la passion n'a besoin d'aucun de ces artifices pratiqués par les spécialistes de l'impuissance.

Morale :

Lorsqu'il faut se donner tant de mal pour jouir,
Mieux vaut s'en abstenir!

La rare fois où Colette philosopha sur « ces plaisirs », elle définit ainsi le vice : « C'est le mal que l'on fait sans plaisir. »

Même notre poète anglican, T. S. Eliot, a reconnu

qu'il existe des « vices fathered by our heroism » :
engendrés par notre héroïsme.

En effet, ne faut-il pas souvent plus de courage
pour oser être soi, que pour se conformer à la morale
courante?

Et Walt Whitman affirme : « Je ne me suis jamais
conformé, et pourtant je suis. »

En somme, peu de choses nous semblent bien ou
mal en elles-mêmes : seuls leurs résultats les jugent.
Et je conclus, en définitive, que nos amours dépendent
de ce que nous en faisons et de ce qu'elles font de
nous.

Seins

Réponse motivée à Ramon Gomez de la Serna
par ce qu'il dit — et ne dit pas — sur les seins

Dédié à l'homme, ce mal sevré.

JEUNE ESPAGNOL qui partez à la découverte
d'hémisphères, — comme votre ancêtre — qu'avez-
vous conquis sur le mystère de ces Nouveaux-Mondes?
Vous les avez situés sur le grand corps féminin, avez
décrit certains de leurs aspects, donné un avis personnel, et parfois contradictoire, sur leurs sensibilités,
saveurs, climats, mais ils vous restent extérieurs, étrangers.

L'Eternel Féminin (que Gœthe, Milosz et la légèreté de Laforgue ont pressenti) échappe à vos sens
d'homme sevré.

Il faut autre chose que du talent, de l'observation,
des « graffiti » d'étudiant, de l'assurance juvénile, pour

retrouver ces mondes qui vous ont nourri, qui vous ont bercé dans l'illusion maternelle de l'amour — pour être initié. Vos audaces d'explorateur ne sont, peut-être, qu'autant de tentatives désespérées pour réinté-grer ces paradis d'où la naissance vous a expulsé.

Qui veut se reposséder dans la femme : terre de bien-être prénatale — se souvient obscurément de ce temps d'avant la séparation : de ces deux cœurs dans un même corps, de ces deux corps dans un même corps.

« M'unir à toi, devenir toi-même, m'anéantir en toi », sont autant de prières vers cette demeure de l'éternel féminin dont nous sommes exilés.

Que ne méditez-vous plus profondément, jeune homme qui écrivez trop et trop peu, sur l'attirance des seins? « Il rêvera partout à la chaleur du sein. » Eros le bébé se jetant au sein de Vénus, la Madone et son Enfant, sont symboles de cette loi du retour. L'amour ne serait qu'une dérivation du sens maternel — révélation faite bien avant Freud et la science, « cette femme stérile ».

Quels sont ces « cataplasmes », ces « outres » insen-sibles qui vous occupent et qui si vainement vous troublent? ces seins qui ne correspondent pas avec le reste du corps? ces extatiques tricheries? Faudrait-il conclure, de votre exposé, que seules les femmes du Nord auraient des seins, amoureux, vibrants, exi-geants, électriques, laissant aux femmes du Sud l'animalité, sans compensation, des mamelles? Homme voué aux seins, et qui avez évidemment mal choisi leur pays — globes éteints : dont on semble avoir enlevé le commutateur! Quels sont ces batteries et ces fils sans allumage, ces sonneries qui ne répondent plus?

Ne les éveillez-vous pas, en les touchant, même aux dangers de la joie?

Laissons en repos, ou à leurs seules fonctions, ces planètes éteintes, au lait de lune, pour ces seins attentifs à la séduction qu'ils déterminent!

« Les seins se dressaient fiers de leur virginité », a écrit Renée Vivien. C'est à eux qu'il faut faire sa cour : ils jugent les prétendants, font l'essai d'un amant plus sûrement que les cassettes matérielles de Portia (une ruse bien anglo-saxonne de cette féministe, d'éprouver ses « suitors » sur des trésors extérieurs à elle-même!).

Bien des femmes se donnent plutôt qu'elles ne donnent leurs seins — pour échapper au don de leurs seins?

Ces cimes difficiles réservées aux élus déterminent la qualité et la race d'un amant bien mieux que ces jeux du bas-ventre! Car les seins ne sont-ils pas en communication plus délicate avec les centres sensibles que les courts-circuits de l'anéantissement! Seins : accélérateurs de la passion, fils conducteurs, guides de la féminité, où vivent ses signes avant-coureurs.

« Les seins levés comme s'ils étaient pleins d'un lait éternel, la pointe vers le ciel. »

Fleurs des sens, complexes densités, lourdes de tous vos secrets, votre langage, vos usages, vos battements, vos parfums, votre vue, votre toucher, s'aiguisent avant que toutes ces suprématies n'abdiquent en faveur de l'excès qui les éteint.

Cette tête renversée, ces yeux qui changent de couleur et d'eau, cette bouche qui révèle les sources secrètes, cet ardent malaise, et ce leurre de la possession — qui peut engendrer votre successeur — d'où peut naître un rival qui vous supplantera.

Ces seins qui jettent l'alarme, ces cris de la joie qui simulent les cris des nouveau-nés!

Si certains animaux ont la sagesse de ne pas survivre à la dépense d'eux-mêmes pour former un autre être, féconder de la vie dont ils ne font plus part, éveiller la vie qui dort dans la femelle, c'est sans doute pour échapper à cette déchéance : car descendance est déchéance, d'autant plus pour tout grand homme, on ne le sait que trop. Les dieux se reproduisent mal, les malades bien!

Si les amants souhaitent de mourir, n'est-ce pas mus par un prudent instinct? La paternité est la tragédie de l'amoureux, et le commencement de sa fin.

— *Hélas! Hélas! cet « heureux père »*
Est aussi niais qu'il en a l'air!

On parle beaucoup de l'amour paternel, il y a aussi la haine paternelle — et la haine filiale. (J'ai toujours eu des soupçons sur Abraham, sur Guillaume Tell et sur don Juan.)

Fier Commandeur, ton fils te guette,
Statue en os, proche squelette!

— Plus que ses ennemis son peuple, plus que son peuple son fils, le prince héritier alarme le roi!

Le règne patriarcal menace le genre humain.

— Mais tandis que quelques-uns de vous subsistent encore, tenez-vous attentivement penchés sur cette joie avant la joie, où la promesse et les désirs se fiancent, se donnent rendez-vous pour l'accomplissement de leur défaite!

Cet instant seul est à vous.

C'est dans cet instant qu'il faut aspirer de tout l'être ce qui différencie et divinise l'amour.

C'est sur ce mont du sein gauche que l'on rencontre le plus sûrement la Déesse — reine de ces cimes renversées. Boucliers de douceur de la Guerrière offerte!

Nudité, justaucorps, royauté mourante, armure vulnérable qui détient la vie, et que chacun blesse. Dressez vos pointes prédestinées contre ces noyaux desséchés de l'homme, qu'en vous possédant, il vous redevienne!

Le couple, c'est la toute féminité.

Homme impie qui m'avez forcée à me préciser selon ce verbe indigne, que cette rivalité vous honore et vous éclaire.

En défendant les seins contre vos erreurs et vos incompréhensions masculines, il me semble défendre en quelque sorte ma patrie!

L'AMAZONE.

Des amours à l'Amour

RENÉE VIVIEN n'a-t-elle pas écrit : « A chaque amour plus loin de l'amour? » N'était-elle pas, en effet, de celles qui, déçues dans leurs aspirations vers un amour unique et livrées à des passions passagères, les trouvent aussi mal accordées à leur nature qu'à leurs traditions? Et cette poétesse nourrie des légendes de son île — où les grandes amours ne peuvent culminer que dans la mort —, comment aurait-elle pu se contenter de ces passions qui n'aboutissent qu'à la satiété? Même cette fidélité qu'on leur prête, à quoi mène-t-elle, sinon à l'enfer ou au ciel de ce dieu jaloux qui n'admet aucun autre attachement?

Si les amants, au comble de leur passion, vont jusqu'à parler de mourir ensemble, c'est que la mort leur apparaît comme la seule solution digne de succéder à une exaltation qui ne veut ni sombrer dans l'épreuve du quotidien, ni consentir à se renouveler par l'infidélité.

Il n'y a peut-être que les amours malheureuses de durables. Les autres risquent de se perdre dans les terrains vagues d'un bonheur où les enferment ces habitudes créées par la passion et qui finalement la supplantent.

Aimer, c'est prendre le voile; mais si la ferveur de cette vocation vient à manquer, ne vaut-il pas mieux rejeter ce voile pour la voile du large ou la voilette des aventures? Du foyer conjugal lui-même, il faudrait pouvoir se détacher, quand ce ne serait que pour y rapporter, en en ranimant l'ardeur, une nouvelle vision de son compagnon ou de soi-même? Le *statu quo* d'une implacable fidélité semble réduire celle-ci à un point mort où il ne reste qu'à : « Accomplir sans désir les gestes de l'amour. »

Quand un sentiment n'évolue pas, la routine s'en empare et le mène à une répétition si limitée qu'il n'existe plus.

Même ce pur poète d'Albion, Shelley, échappa à l'emprise de cet arrêt : « for better or for worse »; la première fois par un renouvellement de l'union et, à la fin, par la mort.

Comme ses amis d'exil, Byron et Keats, il voulut que l'amour restât libre; ce qui tend à prouver que les dieux de l'Olympe et les rites du paganisme grec

— plus conformes à notre nature humaine — aspi-
raient à une renaissance.

Si Renée Vivien se trouvait à chaque amour plus
loin de l'amour, c'est qu'elle recherchait, dans un
seul être, ce qui n'appartient qu'à l'amour même.
Ne devrions-nous pas plutôt, à chaque amour nouveau, nous sentir plus près de l'amour? De cet amour
sur lequel un Soufi interrogeait ainsi son disciple :

— Qu'as-tu compris au son du luth et de la flûte?

— Tu es mon tout, tu es ma suffisance, Amour.

Comment peut-on envisager de réduire l'amour, le
grand, le mystérieux, le seul et le multiple amour à
l'amour physique — là où le physique semble disparaître et l'âme prendre corps, et le corps n'être plus
qu'une âme qui retrouve son ciel?

« Et ce repos divin qu'on goûte après l'amour »,
d'où nous vient-il, sinon de cet état corporel qui participe au divin? L'amour, ainsi éprouvé, ne peut-il
nous initier à la suprême compréhension? Seuls, les
êtres qui ont subi cette épreuve du feu ont montré,
comme le métal, leur trempe : aucune scorie ne résiste
à cette intensité.

Je n'ai retenu, après cette épreuve, que quelques
amours en évolution vers mes seules amitiés complètes.

Renée Vivien, voulant sans doute renier l'amour,
déclara : « Ce qu'il y a de meilleur dans l'amour,
c'est l'amitié », alors que cette amitié, loin d'être un
refuge contre l'amour, en porte le souvenir incendié

qui continue à nous éclairer de sa chaude lumière. Qu'en gardent ceux-là qui jouent avec le feu et dont le jeu consiste à ne pas se brûler? Et leurs conquêtes, que valent-elles, sinon par le mal qu'elles leur donnent ou celui dont ils souffrent? Si au moins, lorsqu'ils font l'amour, l'amour pouvait les refaire! — car ce n'est pas tout que de réussir et de multiplier ces ajustements physiques.

Pour parler de l'amour, il faudrait retrouver son langage secret. Il y a un lyrisme des sens qui précède et succède à leur délire et qui compense les trop « rapides instants du plaisir ». Qu'adviendrait-il de toute cette somme d'amour dépensée si aucune œuvre de l'esprit ou de la chair n'en témoignait?

Nuits d'amour, nuits blanches, en effet, puisque le souvenir qu'on en garde n'est pas plus vif que celui d'un songe. Et n'est-ce pas pour cela qu'on doit les recommencer si souvent?

Si ces joies extrêmes, comme certaines douleurs physiques, sont si vite oubliées, n'est-ce pas parce qu'elles se consument dans leur propre intensité? Mais tel le phénix, le poète ressuscite de ses cendres, et se met à chanter — le coq aussi, mais cela est une autre histoire.

Ce qui distingue le plus l'homme de la bête, n'est-ce pas son sens du miraculeux? L'enfant qui, pour la première fois, approche une coquille de son oreille, au lieu d'y reconnaître les rumeurs de son jeune sang, croit entendre toute la mer. Ce même enfant, enfermé dans le mystère des légendes, ne risque-t-il pas d'être déçu en apprenant comment il est né selon l'effarante étrangeté des lois naturelles?

Le rut et la reproduction de l'espèce animale se limitent, en général, à certaines saisons. Le genre humain en abuse en tout temps et se reproduit trop; mais son esprit inventif — qui nous a valu tant de choses utiles ou néfastes — a su parfois, au lieu de servir l'instinct sexuel, se l'asservir et cultiver l'art de l'amour et l'amour de l'art.

Mais on aura beau faire, pour prolonger cet acte le plus bref, qui est aussi le plus vital, l'heure consacrée à l'amour semblera toujours la plus courte, de même que celles qui lui succèdent, les plus longues. Comment ne pas laisser d'autres occupations, ou préoccupations, envahir ces dernières? En rêvant au retour de l'heure unique, en travaillant à son renouvellement, en créant une œuvre inspirée d'elle ou en restant de ces amants sans cesse obsédés l'un par l'autre et qui cherchent à demeurer à jamais dans cet état d'émerveillement où « la volupté ayant besoin d'une religion créa l'amour ».

Les dévotions à cet amour — aussi accaparantes que des dévotions religieuses — ont également leurs prières, leurs doutes, leurs agenouillements et leurs ferveurs illuminées. Le tout pour aboutir à cet état ineffable dont les regards transfigurés ne fixent qu'un

ciel de lit; mais, à travers leurs corps, ces amants
exaucés n'arrivent-ils pas à s'aimer de toute leur âme?
Dans ce don sans réserve d'eux-mêmes, qui leur semble
sans fin, lequel cessera d'abord d'aimer et devra s'éloigner seul de ce paradis perdu désormais pour tous
les deux?

Si, déchu de l'amour, le bel esprit d'un bel amant
se laisse aller au marivaudage ou dégénère en liber-
tinage, cela n'est-il pas préférable encore au désœu-
vrement de ceux qui n'ont jamais rien connu d'autre
que ce mutisme sans secret, les promiscuités de la jeunesse actuelle? Ces accouplements momentanés, où
l'on se livre sans choix comme l'on est pris sans
égards, n'obéissent même plus — avec ou sans consé-
quences — aux lois du sport, et encore moins à celles
de la galanterie, de cette galanterie qui sait si bien
maîtriser la sensualité, fauve ou féline, pour en augmenter le plaisir au lieu de l'abrutir, comme font
d'autres par l'alcool ou la tricherie des drogues.

Que nous voilà loin du XVIIIe siècle où l'on jouait
sainement à l'amour comme à la mort, avec une intré-
pidité qui n'avait d'égale que son élégance! Loin aussi
de ce romantisme amusé du XIXe siècle : « Dis, veux-
tu te vêtir de mon être éperdu? » — et plus loin
encore de ce moyen âge des troubadours, des chevaliers et de la Dame, cette espèce de Madone terrestre
qui avait également ses adorateurs, à genoux pour
chanter ses louanges, ou à cheval pour faire triompher

ses couleurs aux tournois. Et puis, pour mieux servir leurs seigneurs et suivre leur goût de l'aventure, n'avaient-ils pas, ces fidèles combattants contre les infidèles, ce glorieux prétexte au déplacement, les Croisades?

L'on tombe de haut si l'on en revient à ces jeunes gens frustrés d'aujourd'hui qui doivent faire face à des réalités de plus en plus terre à terre, et finiront sans doute dans un jeu de massacre universel; ils se contentent, en attendant, de ces complaisantes camaraderies où deux désirs s'allient un instant afin de pouvoir « tuer la bête ». Mieux vaudrait lui rendre ses ailes, car ne devrait-elle pas être, comme Pégase, une bête ailée? Nous oublions trop que notre corps peut devenir un merveilleux médium et chacun de nos sens un centre de transmission et nous avons tendance, au lieu de développer leurs possibilités, à les humilier en perfectionnant toute cette mécanique qui tend à les remplacer.

La science et la religion, qui travaillent à des fins opposées, dans le mépris, soit du corps, soit de l'âme, ne peuvent-elles arriver à se rejoindre dans une religion de la connaissance et dans un meilleur entendement de l'être humain?

Sans l'être humain, la machine deviendrait stérile et ne pourrait plus produire que ces monstres qui infectent le monde. Et comment la sainteté réaliserait-elle ces états de grâce et ces transports psychiques, sinon au travers de ce corps méprisé, doué pourtant d'une âme?

Et pourquoi priver le Banquet de l'Amour du seul hôte qui puisse le porter à son apogée et ne pas ressentir, à travers la joie, cette extase qui nous vient peut-être de quelque souvenir d'un âge d'or, un âge d'or où le corps et l'âme, inséparables, formaient des unions angéliques dont il ne nous reste plus que ces ébats de mauvais anges pris dans la charnelle aventure?

Lectures

JE LIS PEU et avec crainte, car je retiens ce que je lis! Et parcourir un livre pour me divertir me semble indigne, soit de l'auteur, soit de moi.

Mais lorsqu'un livre me convient, il suscite tant de pensées analogues, qu'au bout d'un moment, je ne sais plus bien si je lis la pensée d'un autre ou la mienne. Et je reste reconnaissante à l'auteur de l'avoir si bien exprimée que cela m'en dispense!

De même, entre certains esprits et le mien, il y a un tel accord, qu'ils semblent lire dans ma pensée, tandis que j'énonce la leur.

Ce miracle de télépathie s'est produit souvent entre Remy de Gourmont et moi, et à présent entre Germaine Beaumont et moi.

Peut-être que si je lisais davantage, je n'aurais plus besoin d'écrire.

D'ailleurs je crois qu'il faut écrire, non comme à présent le plus possible, mais le moins possible.

Exiger de son cerveau un livre par an me semble aussi pénible que d'exiger d'une femme un enfant annuellement.

Mais, comme dans l'un et l'autre cas on touche des « prix », je suppose que rien n'arrêtera cet excès de production et de reproduction.

Comment tant de livres et de naissances contiennent-ils assez de substance et reçoivent-ils assez de soins pour pouvoir subsister?

Quant aux livres, peu en effet semblent durables. Et très rares ceux qui évoquent une présence insolite.

Balzac, dans son œuvre la moins balzacienne, *Seraphitus-Seraphita* due sans doute aux influences nordiques de Swedenborg, et poussé vers les cimes par l'amour de Mme Hanska, quitta les personnages de sa *Comédie Humaine* pour cet être double et surhumain qui attire autant l'homme que la femme, sans céder à l'amour de l'un ou de l'autre.

Ayant abandonné notre villa Trait-d'Union à Beauvallon, mal construite et rendue inhabitable après la guerre, je me réfugiai à Nice, où à présent je séjourne chaque hiver, et où je retrouvai un précieux groupe d'amis auxquels je dois de connaître Denis Saurat.

Ce petit homme d'un grand savoir et d'une encore

plus grande imagination me permit d'organiser autour
de lui des séances privées, les dimanches après-midi,
qui eurent lieu chez les Saurat, Hôtel Regina à Cimiez
— parfois le duc et la duchesse de Broglie se joi-
gnaient à nos petites réunions assez restreintes pour
que chacun de nous puisse interroger notre confé-
rencier. Il nous fit mieux connaître William Blake
et nous apprit qu'après les grands sauriens il existait
sur terre une race de géants, dont Hercule et Samson
furent les derniers représentants.

Pendant toute la guerre, Saurat professa à King's
College à Londres. Il publia aussi des livres sur
l'Atlantide, etc., et dans *Occitania* de mars 1958, un
article sur le matriarcat méridional sous l'empire de
la reine Aprileuse qui, avec ses amazones, n'admet-
taient qu'au mois d'avril les hommes, chasseurs des
montagnes environnantes et à seule fin de continuer
l'espèce.

Il nous lut aussi certains passages dans le *Fairy
Queen* de Edmond Spenser afin de nous prouver que
même au XVIᵉ siècle il se trouvait un poète qui distin-
guait éloquemment « lust from love ».

Passionné pour le Languedoc, il nous initia à la
doctrine cathare, et n'avait-il pas choisi parmi nous
la poétesse mystique Laurence de Beylié comme âme
sœur et avec laquelle, selon les cathares, il composa
un nouveau couple de Parfaits. Les traits de lumière
de cette poétesse furent, avec plusieurs de ses plus

longs poèmes, édités par la N. R. F. sous le titre de
Poèmes cathares; ce qui souleva une polémique due
au fait qu'elle ne les signa pas afin de ne pas déplaire
à son époux dont elle portait le nom.

Voici quelques hypothèses ou idées inspirées par
la conférence de Denis Saurat au Centre Universitaire
Méditerranéen sur les cathares et cet autre « Dieu » :

Pourquoi ne serait-ce pas Lucifer-Satan, expulsé par
Dieu des régions célestes, qui créa le monde si rempli
de contradictions, d'horreurs et de beautés : ainsi que
l'être humain qui en serait le résultat ?

Ne serait-ce pas l'œuvre de cet Ange déchu et qui
opposa ce système procréateur du règne animal au
règne de l'Eternel ? — Et que les âmes vouées au
Divin recherchent à travers leurs conditions humaines
et inhumaines ?

J'eus par la suite des conversations avec Saurat, non
seulement sur le Dante que je jugeais (sans l'avoir
lu) antichrétien, mais sur un de ces êtres ni tout à fait
céleste ni tout à fait terrestre, qui m'apparut sous
cet aspect d'ange, déchu dans notre charnelle aventure
de vivre et dont j'ai pu saisir les quelques traits qui
suivent.

Aspects d'un ange
(le mien)

IL NE PORTE PAS d'ailes en ce monde, les réservant pour l'amour. Tout en vivant parmi les êtres humains, il ne pense pas, n'agit pas, ne parle pas et n'aime pas comme eux.

Même attirés par lui, ils sentent confusément qu'il n'est pas de leur espèce. Il n'a rien à apprendre d'eux, ses connaissances partent de lui-même, ce qui rend leur savoir insignifiant devant sa sagesse.

L'endroit où il se situe — si toutefois il se situe quelque part — leur échappe autant que lui-même.

Servi par des sens ultra-terrestres, ses yeux voient mieux et plus loin que d'autres. Et c'est l'acuité de sa vue qui rend si pénibles toutes les erreurs et laideurs qu'il contemple.

Il a l'ouïe si fine qu'il perçoit la pensée des hommes

à travers leurs silences — et la vanité de la plupart de leurs paroles.

Son flair est également capable de discerner le génie particulier de chacun. Ainsi a-t-il découvert une parenté d'esprit chez toute une hiérarchie d'êtres qui l'ont fait participer à quelque chose comme un chœur angélique sur terre, car dans sa vision toutes les religions, au lieu de s'opposer, se confondent dans le Divin.

L'Ange, dont on ressent, à certains moments d'élévation, toute la divinité, a fait de l'amour une religion et de la religion un amour.

Comme Seraphitus-Seraphita, il attire les femmes et les hommes mais n'appartient ni aux uns ni aux autres; car l'ange est l'Etre complet pour qui l'amour partagé est le plus grand des sacrifices de soi.

Il se laisse pourtant choisir avec innocence, mais ne retient que ceux-là qui l'inspirent ou lui rappellent quelque chose qui ressemble à son ciel.

Eperdument disponible, il s'occupe aussi parfois de ceux qui ne lui apportent rien que leurs peines et leurs plaintes. Mais au lieu de leur témoigner une vaine sympathie, il cherche à les aider, non selon lui, mais selon eux, jusqu'au jour où, excédé de leur manque de compréhension, exaspéré de n'avoir rien pu faire pour les soulager d'eux-mêmes, il les repousse, mais sans violence — à moins que la violence ne remédie à leur aveuglement. Alors, au lieu de reconnaître sa longue et inutile patience, ils l'accusent de manquer de cœur et de charité. Mais son cœur sait s'ouvrir à qui sait frapper juste, et la charité n'est qu'une petite monnaie qui concerne la philanthropie de ceux qui n'ont jamais rencontré personne.

L'Ange a beaucoup à donner, et ne peut se prodiguer qu'en faveur des êtres d'une qualité en harmonie avec la sienne — ou parfois en faveur de ceux qui, avec une humilité touchante, y aspirent. Mais rien ne vaut un accord véritable. Et c'est en frustrer ceux qui le méritent que de le tenter avec qui en est indigne.

Pour ceux qui osent se mesurer à lui, le combat avec l'Ange n'est pas un vain mot : leurs blessures en témoignent et certains en gardent la trace leur vie durant. Ceux qui s'y engagent sont parfois étonnés ou honteux de trouver ce qui leur fait défaut, et de découvrir dans ce mystérieux adversaire un génie pour le mal autant que pour le bien — bien et mal — aux frontières confondues. Loin d'être un ange de tout repos, son essence et son équilibre sont tels qu'il peut connaître abîmes et cimes sans jamais s'y perdre — même en amour.

Cet ange ne trouve-t-il pas en lui-même le couple parfait? car le féminin et le masculin sont si bien confondus en lui qu'il ne semble avoir aucun besoin de les rechercher ailleurs, mais cet état bienheureux, parfois il l'oublie en se laissant aller à quelque liaison mortelle.

D'abord exalté par tout ce qu'il y apporte, il croit trouver le paradis terrestre auprès d'une personne qui, en le comblant de son amour, lui en fait pressentir les limites — tandis qu'elle est possédée par cette ivresse qu'elle croit durable. Et comment oserait-elle, même si elle s'apercevait d'un changement, lui poser cette question qui résume toutes les angoisses de la possession et de la séparation : « Où vas-tu? D'où viens-tu? »

D'où vient-il, en effet? Et vivre ainsi n'est-ce pas vivre d'abord avec passion, puis avec nostalgie, comme en pays étranger — loin de son propre ciel?

CONCLUSIONS

Conclusions

La grande Sapho écrit : « Je ne crois pas, de mes deux bras tendus, pouvoir toucher le ciel. »

Pourtant quel est ce ciel dont certains de nous portent le reflet?

Et cet exilé en nous qui recherche sans cesse cet amour céleste?

L'amour n'est-il pas l'intermédiaire interposé entre nous et le divin?

L'acte d'amour, lorsqu'il n'élève pas tout l'être, n'est qu'une satisfaction viscérale.

Je répète : Ce que l'on découvre de plus étonnant dans l'amour physique, c'est que l'amour n'est pas physique.

L'amour, ce dépassement de soi.

La vraie pureté n'existe que dans son intensité, à l'image du feu qui brûle toute scorie.

Ceux-là qui essaient dans l'humain de réaliser le surhumain « sont tentés comme Lucifer par la lumière qu'ils portent en eux ».

Cette citation est de la vierge sainte Marie Noël qui avoue aussi : « J'ai toujours envié à la religion hindoue ces couples sublimes qu'un amour absolu, héroïque, a parfois hissé jusqu'aux dieux. »

Comment interpréter autrement cette extase qui à travers le corps atteint l'âme?

Et cette recherche d'un compagnon ou d'une compagne qui éveille en nous plus qu'un désir : une résonance et cet accord de tout l'être que nos Sapho, nos Socrate, nos Dante et nos Shakespeare, nos Gœthe, nos Baudelaire et nos Balzac ont pressenti et parfois retrouvé.

Peu d'entre nous rencontrent en eux-mêmes, ou dans leur art, ce compagnon idéal — alors ils se tournent vers autrui et, grâce à toute une adaptation, un couple se forme — ou se déforme. Car si les opposés s'attirent, il est aussi évident qu'ils se détruisent — est-ce pour cela qu'il y a eu si peu de couples heureux depuis Adam et Eve?

« Tu enfanteras dans la douleur » paraît de moins en moins engageant [1]!

Tant de ménages heureux ne sont fondés que sur

---

1. Aldous Huxley dans *Le meilleur des mondes* évoque le moment où les naissances se feront en laboratoire.

une heureuse habitude — et dont certains malheurs ne voudraient pas!

La femme en se soumettant au mariage même sans amour croit remplir ses devoirs envers l'espèce — espèce par ailleurs trop abondamment assurée.

Que les relations physiques soient considérées comme un péché et seulement tolérées en vue de la reproduction, cela exige un si désolant courage que seule une épouse croyante, n'ayant jamais éprouvé de joie ni proféré de plaintes, peut le supporter.

Cette privation (ou cette réserve) motiva l'exclamation de l'une d'elles à son lit de mort. Voyant son époux s'approcher, elle étendit les mains pour le repousser en disant : « Tu n'as donc pas compris que depuis cinquante ans je te déteste! »

Que nous voici loin de cet époux qui fit élever en souvenir de sa femme bien-aimée le plus beau des monuments, le Taj Mahal!

Loin aussi de ce culte de « la Déesse Mère dont toute femme peut devenir l'incarnation ».

Notre corps muni de nos sens : ces médiums qu'il faut admettre, car n'est-ce pas au travers d'eux que nous arrivons à dépasser le réel — ce réel qui n'est que le point de départ vers notre au-delà. C'est pourquoi tant de tricheurs recherchent dans les drogues ou les fumeries d'opium cette sublimation qui leur manque.

Il est rare que deux grandes amours se rencontrent.
C'est cependant l'amour que nous donnons dont
nous aurions le plus besoin! Et c'est pourquoi beaucoup d'amoureux se plaignent et réclament de quoi
satisfaire les fausses faims d'un cœur trop exigeant.
Ces faims sont peut-être aussi créées par cette part
d'infini que nous portons en nous et que rien de
terrestre ne saurait contenter. « Le divin mécon-
tentement » de Nietzsche n'était-il pas de cette même
origine?

Emprisonnée dans un état charnel, entre « le choix
du désir » et « les affinités électives », je n'hésite pas :
il nous faut les deux!

Et ces affinités ne peuvent se limiter à un sexe :

Walt Whitman fait état de l'attirance uniquement
sensuelle dans son poème « Une femme m'attend »,
mais combien plus complète son attente de l'ami :
« J'ai pensé à mon cher et à mon tendre ami qui
était en route vers moi... » Puis « celui que j'aime
le plus au monde dormait auprès de moi sous les
mêmes rayons de la lune automnale, son visage était
tourné vers moi et son bras entourait légèrement ma
poitrine — et cette nuit je fus heureux. »

Et il demande aux « recorders » à venir de publier
son nom comme celui « du plus tendre des amants,
qui n'était pas orgueilleux de ses chants mais de
l'océan d'amour sans limite qu'il contenait. »

Mais Whitman continue ainsi, quand de nouveau

« loin de celui qu'il aimait, incertain, étendu dans la nuit sans sommeil, il connut trop bien cette maladive crainte, cette moiteur apeurée que celui qu'il aimait ne lui fût secrètement indifférent. »

Si cette poursuite de « l'Autre » et si de l'atteindre est le sommet du bonheur, si sa présence en nous double notre vie et comble notre cœur, elle double aussi notre crainte de le perdre. Etant devenu la source de notre pensée et le stimulant de notre existence, s'il venait à nous manquer, nous en mourrions plus que de notre propre mort.

Tant qu'il y aura séparation d'avec l'être pour qui nous vivons, il y aura, mêlés à cet amour, doute et appréhension.

Aimer un être hors de soi : se dédoubler ainsi n'est-ce pas s'ajouter le plus grand des risques?

Renée Vivien s'est écriée : « Mon Dieu, ne plus aimer! » — ne plus aimer que Dieu?

Si les croyants continuent à aimer et à n'aimer que Dieu, n'est-ce pas parce que Dieu a su garder Ses distances?

Si les amants sont tentés de ne plus se quitter, de « vivre ensemble », le quotidien est là pour se venger de ces décisions passionnées — car peut-on vivre vraiment ensemble?

Il me semble que l'on ne vit, comme l'on ne meurt, que seul. Et quand une chère présence, qui nous est tout acquise, se penche continuellement sur nous, nous avons vite fait de l'observer — de ne plus la voir tant elle nous est proche!

Il faut peut-être venir d'ailleurs pour avoir quelque chose à apporter et pour sortir de cette double solitude.

La chanterelle du violon est la corde la plus tendue, par conséquent celle qui tend le plus à se rompre, c'est aussi celle de laquelle, pour qui sait en jouer, émane la musique la plus haute.

Tout le mal de l'amour humain n'est-il pas venu d'abord de notre séparation d'avec notre mystérieux Créateur puis avec notre double et ne faudrait-il pas réintégrer l'état angélique de l'androgynat?

Certains êtres qui dépassent le couple appellent cet être double qu'ils contiennent parfois en eux-mêmes! Dans ce dédoublement de soi, dans cette union enfin parfaite réside sans doute la plus sûre expression de leur être.

Le professeur Eliade dans *La coïncidentia oppositorum et le mystère de la totalité* explique : « Pour les romantiques allemands, l'androgyne serait le type de l'être parfait de l'avenir. »

« Car le but vers lequel doit tendre l'espèce humaine est la réintégration progressive des sexes jusqu'à l'obtention de l'androgyne...

« L'androgyne avait été au commencement et il sera de nouveau à la fin des temps [1]. »

1. Dans notre époque de transition, ne voit-on pas déjà combien

CONCLUSIONS

Cette hantise de l'être double ou de l'androgyne obséda Gœthe qui crut le trouver dans « l'amazone Natalie [1] ».

Et Gourmont, dans ses *Lettres à l'Amazone,* et qui me nommait « Natalie-Natalis » avait-il l'intuition — savait-il ou ignorait-il — que Gœthe appela ainsi son Amazone Natalie?

peu de femmes ressemblent aux femmes d'autrefois encloses dans leur féminité? A présent elles portent de longs pantalons et sont à peine reconnaissables des garçons.

[1]. Fraülein von Klottenberg etc.. dans *Goethe the alchemist* de Roland Gray, Cambridge University Press, 1952.

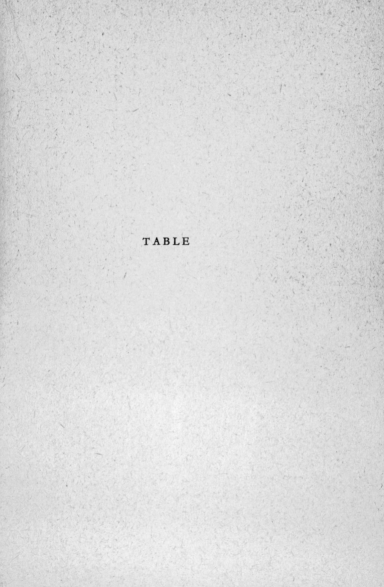

TABLE

TRAITS ET PORTRAITS

———————————— Imprimé en France ————————————
TYPOGRAPHIE FIRMIN-DIDOT ET Cᵢᵉ. — MESNIL (EURE). — 1617
Dépôt légal : 3ᵉ trimestre 1963.